1580242993

中华人民共和国国家标准

平板玻璃工厂设计规范

Code for design of flat glass plant

GB 50435 - 2016

主编部门：国家建筑材料工业标准定额总站
批准部门：中华人民共和国住房和城乡建设部
施行日期：2 0 1 7 年 4 月 1 日

中国计划出版社

2016 北 京

中华人民共和国国家标准

平板玻璃工厂设计规范

GB 50435-2016

☆

中国计划出版社出版发行

网址：www.jhpress.com

地址：北京市西城区木樨地北里甲 11 号国宏大厦 C 座 3 层

邮政编码：100038　电话：(010) 63906433（发行部）

三河富华印刷包装有限公司印刷

850mm×1168mm　1/32　5 印张　125 千字

2017 年 2 月第 1 版　2017 年 2 月第 1 次印刷

☆

统一书号：1580242 · 993

定价：30.00 元

中华人民共和国住房和城乡建设部公告

第 1264 号

住房城乡建设部关于发布国家标准《平板玻璃工厂设计规范》的公告

现批准《平板玻璃工厂设计规范》为国家标准，编号为 GB 50435—2016，自 2017 年 4 月 1 日起实施。其中，第 7.2.6 (9)、7.3.2(8)、12.3.5、14.4.7 条（款）为强制性条文，必须严格执行。原《平板玻璃工厂设计规范》GB 50435—2007 同时废止。

本规范由我部标准定额研究所组织中国计划出版社出版发行。

中华人民共和国住房和城乡建设部
2016 年 8 月 18 日

前　　言

本规范是根据住房城乡建设部《关于印发 2014 年工程建设标准规范制订修订计划的通知》(建标〔2013〕169 号)的要求,由中国建材国际工程集团有限公司会同有关单位在原国家标准《平板玻璃工厂设计规范》GB 50435—2007 的基础上编制完成的。

本规范编制过程中,编制组经广泛调查研究,认真总结实践经验,并在广泛征求意见的基础上,最后经审查定稿。

本规范修订后共分 19 章和 7 个附录,主要内容包括:总则,术语,基本规定,厂址选择与厂区总体规划,总图运输,原料,浮法联合车间,燃料,供气,电气,生产过程检测和控制,给水与排水,余热利用,采暖、通风、除尘、空气调节,建筑与结构,其他生产设施,环境保护,节能和职业健康安全等。

本次修订的主要内容:

1.增补第 2 章"术语";

2.增加第 3 章"基本规定";

3.增加第 13 章"余热利用";

4.将原第 7 章"保护气体"、第 11 章"供热与供气"合并为第 9 章"供气";

5.取消原第 14.4 节"耐火材料贮库与加工房"和原附录 F"车间生产类别、耐火等级、防火分区最大允许占地面积、安全疏散距离及安全出口数目";

6.围绕近几年在生产技术、节能、环保等方面的技术进步对相关内容进行了部分修改和调整;

7.增加第 18.6 节"能源计量器具";

8.针对安全生产,增加了相关措施。

本规范用黑体字标志的条文为强制性条文,必须严格执行。

本规范由住房城乡建设部负责管理和对强制性条文的解释,由国家建筑材料工业标准定额总站负责日常管理,由中国建材国际工程集团有限公司负责具体技术内容的解释。本规范执行过程中如有意见或建议,请寄送至中国建材国际工程集团有限公司(地址:上海市普陀区中山北路 2000 号 26 楼,邮编编码:200063),以供修订时参考。

本规范主编单位、主要起草人和主要审查人:

主 编 单 位:中国建材国际工程集团有限公司

蚌埠玻璃工业设计研究院

主要起草人:彭　寿　孙建安　茆令文　唐　淳　惠建秋
　　　　　　陆　莹　张仰平　王四清　杨义仿　贺宝林
　　　　　　单承宇　王德和　王伊托　曹　萍　吴国强
　　　　　　贾维仁　蔡红梅　陆少锋　赵　飞　蒋　鸿
　　　　　　郑　钧　魏晓俊　孙新艳

主要审查人:曾学敏　施敬林　鲁旺生　薛滔菁　王宗伟
　　　　　　谢　军　俞家红　杨京安　房广华　张　冲
　　　　　　江龙跃　王立群

目　次

Contents

1 总 则

1.0.1 为规范平板玻璃工厂的设计,加强资源综合利用,提高劳动生产率,促进平板玻璃工业在产品质量、节能减排、信息化、智能化控制等方面的技术进步,做到技术先进,经济合理,节约能源,保护环境,安全运行,制定本规范。

1.0.2 本规范适用于以浮法玻璃生产工艺为主的新建、改建和扩建平板玻璃工厂的设计。

1.0.3 设计应符合当地规划要求。改建、扩建项目应合理利用原有设施、场地及资源,并应改善工作环境。

1.0.4 设计应根据工厂分类计量管理的要求设置计量装置。能源计量应有工厂、车间、重点耗能设备的三级计量装置。

1.0.5 平板玻璃工厂设计除应符合本规范外,尚应符合国家现行有关标准的规定。

2 术 语

2.0.1 总成品率 percentage of pass

成品玻璃重量与拉引的原板总重量之比值,以百分数表示。

2.0.2 窑龄 furnace life

熔窑从首次引板至冷修的运行时间,通常以年或月表示。

2.0.3 熔化率 melting rate

熔窑单位熔化面积每24h熔化的玻璃液量,单位为 t/(m² · d)。

2.0.4 芒硝含率 salt cake content

芒硝引入的氧化钠量与芒硝和纯碱引入的氧化钠总量之比值,以百分数表示。

2.0.5 重量箱 weight case

平板玻璃产品的计量单位,50kg 为一重量箱。

3 基本规定

3.1 设计规模

3.1.1 平板玻璃工厂设计规模应根据产品种类、建设条件、市场需求等因素综合确定。

3.1.2 新建、改建平板玻璃生产线熔窑设计规模不应小于 500t/d。

3.2 设计依据

3.2.1 工厂设计应根据有关主管部门批准的项目申请报告(或可行性研究报告)、环境影响评价、节能评估、安全预评价等文件进行设计。

3.2.2 设计基础资料应包括下列内容:

    1 当地有关主管部门批准的建设项目选址意见书及建设用地规划许可证;

    2 规划设计条件;

    3 厂区地形图、厂区红线图、区域地形图、铁路专用线地形图;

    4 工厂建设区工程勘察报告;

    5 建厂地区气象、水文资料和洪水资料;

    6 工厂所在地区抗震设防烈度;

    7 原材料、燃料的运输方式及其他相关材料。

3.3 设计要求

3.3.1 熔窑设计窑龄不宜低于 8 年。

3.3.2 品种、质量应符合现行国家标准《平板玻璃》GB 11614 的有关规定,总成品率不宜低于 80%,其中一等品率宜大于 70%。

3.3.3 能源消耗指标应符合现行国家标准《平板玻璃工厂节能设计规范》GB 50527 和《平板玻璃单位产品能源消耗限额》GB 21340 的有关规定。

3.3.4 环境保护指标应符合现行国家标准《玻璃工厂环境保护设计规范》GB 50559 和《平板玻璃工业大气污染物排放标准》GB 26453的有关规定。

4 厂址选择与厂区总体规划

4.1 厂址选择

4.1.1 厂址选择应符合工业布局和地区总体规划要求,并应符合现行国家标准《工业企业总平面设计规范》GB 50187 的有关规定。

4.1.2 厂址选择应根据设计规模对原料、燃料、主要辅助材料的来源,产品流向,水、电、气等供应,交通运输,工程地质,企业协作条件,场地现有设施,环境保护,劳动力供应,自然条件等因素,经技术经济比较后确定。

4.1.3 厂址用地应符合下列规定:

　　1 厂址用地应贯彻执行节约和合理利用土地的方针,严格执行国家规定的土地使用审批程序,因地制宜提高土地利用率,宜选用条件成熟的工业园区;

　　2 厂址用地应符合工业项目建设用地指标;

　　3 场地应根据生产规模、工艺流程、生产主线长度及总平面布置确定;

　　4 当工厂分期建设时,用地应一次规划,分期征地。

4.1.4 厂址的工程地质和水文地质条件应满足工程建设要求。自然地形坡度较大的厂址应合理确定竖向布置。

4.1.5 厂区标高应比 50 年一遇洪水位高出 0.5m 以上,厂区应设计防洪设施。位于山区的工厂,厂区标高应高出 50 年一遇洪水位 1.0m 以上,并应设计防洪、排洪的设施。防洪、排洪设施应在初期工程中一次建成。当厂址位于内涝地区时,厂内应配备排涝设施,且厂区标高应比设计内涝水位高出 0.5m。

4.2 厂区总体规划

4.2.1 总体规划应符合区域经济与社会发展规划、产业园区规划要求。

4.2.2 总体规划应正确处理近期建设和远期发展的关系,实现统筹考虑、远近结合、分区明确、方便管理和运输通畅的规划目标。

4.2.3 总体规划应与周边的交通基础设施、水电气公用基础设施、环境保护设施、生活服务设施等协调,宜充分利用周边配套协作条件。

4.2.4 平板玻璃工厂建设需分期建设或分期改造时,应有总体规划。

5 总 图 运 输

5.1 一 般 规 定

5.1.1 分期建设的工厂应以近期为主、远近结合、统筹安排;远期用地宜预留在厂区外。

5.1.2 改建、扩建工厂应充分利用现有场地,并应减少改、扩建工程施工对生产的影响。

5.1.3 厂区总平面布置应符合下列规定:

1 功能分区应明确,生产流程应合理,管线连接应短捷,建(构)筑物布置应紧凑,通道宽度应适中,人流、货流应通畅、安全;

2 应符合生产使用、安全、环保要求,宜将生产联系密切、性质相近的建(构)筑物及生产设施组成联合建筑体;

3 应充分利用地形、地势、工程地质及水文地质等条件,合理布置建(构)筑物和竖向设计,应减少土(石)方工程量及基础工程的投资;

4 建(构)筑物之间的最小间距及消防通道设置应符合现行国家标准《建筑设计防火规范》GB 50016 的有关规定;

5 工厂总平面布置应符合现行国家标准《工业企业总平面设计规范》GB 50187 的有关规定。

5.1.4 厂区通道宽度应满足使用功能、交通运输、管线敷设、绿化布置及安全、卫生等要求。工厂的主要通道宽度宜为 20m～30m。

5.2 总 平 面 布 置

5.2.1 浮法联合车间布置应符合下列规定:

1 厂区总平面布置应以联合车间为主体建筑展开,车间的长轴应利用地形地质和各工段生产工艺特点处理地形高差,当厂区

自然地形坡度较大时,熔化、成形工段应位于设有地下防排水设施的地势较低和地基稳定地段;

2 浮法联合车间外烟道及烟囱周围应留有烟气脱硫、脱硝、除尘和余热发电等设施的布置空间。

5.2.2 原料车间布置应符合下列规定:

1 原料车间应位于厂区全年最小频率风向的上风侧,并应减少粉尘对周围环境的污染;

2 原料堆场应设置有围蔽的设施。

5.2.3 燃油储罐区布置应符合现行国家标准《建筑设计防火规范》GB 50016 和《石油库设计规范》GB 50074 的有关规定。

5.2.4 天然气配气站宜布置在天然气总管进厂方向或至各用户点相对较近的地点,并宜靠近全厂主用气点。天然气配气站布置应符合现行国家标准《城镇燃气设计规范》GB 50028 的有关规定。

5.2.5 发生炉煤气站布置应符合下列规定:

1 煤气站房应靠近煤气用气点,煤气站布置应符合现行国家标准《发生炉煤气站设计规范》GB 50195 和《工业企业煤气安全规程》GB 6222 的有关规定;

2 煤堆场(棚)宜靠近煤气站布置,并宜布置在厂区全年最小频率风向的上风侧,上煤系统宜采用皮带输送。

5.2.6 氮气站、氢气站、氧气站、灌氧站布置应符合下列规定:

1 氮气站、氢气站、氧气站、灌氧站宜集中组成单独的气体设施区,宜避开人流密集区及主要交通通道,并应位于通风条件好和明火排放源的上风侧,氢气站布置应符合现行国家标准《氢气站设计规范》GB 50177 的有关规定;

2 气体设施区位置宜缩短送气主管与浮法联合车间用气点的距离,且管线敷设应便于施工及检修;

3 在灌氧站房外的一侧或两侧,应设置装车作业场地。

5.2.7 压缩空气站布置应符合下列规定:

1 压缩空气站朝向应结合地形、气象等条件,避开有腐蚀性

物质、有害气体及粉尘等的场所,压缩空气站不应位于全年最大风频的下风侧;

    2 压缩空气站宜与氮气站的压缩间统一布置,也可布置在联合车间辅房内靠近主要用气点;

    3 储气罐宜布置在站房的阴面。

5.2.8 总变(配)电所宜靠近工厂负荷中心。

5.2.9 变(配)电所布置应符合下列规定:

    1 应便于高压线的进线和出线;

    2 不应设在有强烈振动的设施附近;

    3 不应布置在多尘、有腐蚀性气体和有水雾的场所;

    4 车间变电所宜靠近用电负荷中心。

5.2.10 余热发电站布置宜靠近余热锅炉。

5.2.11 给水净化站和循环水设施的布置应符合现行国家标准《工业企业总平面设计规范》GB 50187 的有关规定。

5.2.12 其他辅助生产设施布置应符合下列规定:

    1 应满足辅助生产设施工艺要求以及与主要生产设施的工艺联系;

    2 应有利于厂区环境保护,符合安全、卫生要求;

    3 应因地制宜,充分利用主要生产设施之间的空地或层间的空间。

5.2.13 行政办公及生活服务设施应布置在便于生产管理、环境洁净、交通便捷的地点,用地面积不得超过项目总用地面积的 7%。

5.2.14 工厂应设置厂区围墙。围墙定位、高度、结构形式应满足生产安全和规划的要求,还应与周围环境相协调。

5.3 交 通 运 输

5.3.1 工厂铁路、道路及码头的布置除应符合本规范外,还应符合国家现行标准《Ⅲ、Ⅳ级铁路设计规范》GB 50012、《厂矿道路设计规范》GBJ 22 和《河港工程总体设计规范》JTJ 212 的有关规定。

5.3.2 厂内铁路布置应符合下列规定：

   1 应满足工厂总体规划中由火车承担的运量、装卸和厂内外运输作业要求；

   2 装卸线长度宜满足一次到厂时车辆停放和装卸作业要求，并应与仓库、货场容量相协调；

   3 在满足生产、装卸及运输作业要求的前提下，宜缩短厂内铁路线的长度；

   4 可停放油槽车长度的卸油线应为平直的尽头式铁路线，卸油设施可布置在铁路的一侧或两侧；

   5 露天堆场内的卸车线应设在平直道上，条件不允许时，可设在规定范围内的坡道上或曲线上。

5.3.3 厂内道路布置应满足生产、交通、货运、消防、环境卫生等要求，并应与厂区竖向设计和管线布置相协调。

5.3.4 浮法联合车间为两层厂房时，宜在一层不影响生产设施处设置横穿车间的通道。通道应与车间周围的道路相连接，通道净宽度不宜小于 5.5m，净高度不应低于 4.5m。

5.3.5 厂内主要道路宜减少与厂内铁路平交叉。当需要交叉时宜正交，斜交时的交叉角不宜小于 45°。

5.3.6 厂内主要道路及货运专用道路宜采用混凝土路面结构，路面宽度不应小于 6.0m。单向行车道路面宽度宜为 3.5m～4.0m；人行道宽度不宜小于 0.75m。

5.3.7 货运码头应根据工厂总体规划和当地水域发展规划及码头工艺要求确定，宜选在河床稳定、水流平顺、流速适宜、堤岸牢固的河段上，并应满足船舶靠离作业所需的水深和水域面积。

5.4 竖 向 设 计

5.4.1 竖向设计应与总平面布置同时进行，并应与厂区外现有或规划的运输线路、排水系统、周围场地标高相协调。

5.4.2 竖向设计应符合下列规定：

1 应满足生产、运输要求；

2 应有利于节约用地；

3 应使厂区不被洪水、潮水及内涝水淹没；

4 应合理利用自然地形，减少土（石）方、建（构）筑物基础、护坡和挡土墙的工程量；

5 填方、挖方工程应防止产生滑坡、塌方，山区建厂时应保护山坡植被；

6 应充分利用和保护现有排水系统，当改变现有排水系统时，应保证新的排水系统水流顺畅；

7 工程分期建设时，场地标高、运输线路坡度、排水系统等应使近期与远期工程相协调；

8 改建、扩建工程的竖向设计应与现有场地相协调。

5.4.3 场地平整、切坡等工程应采取防止滑坡、塌方和地下水位上升等措施。

5.4.4 建（构）筑物室内地坪标高确定应符合下列规定：

1 厂区建（构）筑物室内地坪标高应高出室外场地地面标高0.15m以上；

2 玻璃成品库、原（粉）料库（仓）等有装卸运输要求的建筑物室内地坪标高，应与运输线路标高及装卸作业需要的标高相协调；

3 位于填土地段的建筑物室内地坪标高，在满足生产及使用要求的前提下，宜减少建筑物的基础埋置深度。

5.4.5 阶梯式竖向设计应符合下列规定：

1 阶梯的划分应与地形及总平面设计相适应；

2 生产联系密切的建（构）筑物宜布置在同一台阶或相邻台阶上；

3 台阶的长边宜平行等高线布置；

4 台阶宽度应满足建（构）筑物、运输线路、管线、绿化等布置，以及操作、检修、消防和施工等要求；

5 台阶高度应根据生产要求及地形和地质条件,结合台阶间运输联系等因素综合确定,且不宜高于 6m;

6 山地厂区紧接高切坡时,应防止山体失稳的产生;

7 台阶的边坡坡度及台阶坡顶至建(构)筑物的距离应符合现行国家标准《建筑地基基础设计规范》GB 50007 的有关规定。

5.4.6 场地排水应符合下列规定:

1 场地平整坡度宜为 0.3%~3%,复杂地段的最大坡度不宜大于 5%。

2 厂区地面水排水设计应符合下列规定:

　　1)厂区宜采用暗管(沟)排水方式,条件不允许时可采用明沟排水方式;

　　2)储煤场及石料、粉料露天堆场地面排水宜采用明沟方式,且排水沟应设有篦盖;

　　3)燃油储罐区防火堤内的地面排水应符合本规范第 12.3.4 条的有关规定。

3 厂内排水明沟宜做护面处理;对厂容及环境卫生要求较高的地段,应采用盖板明沟。

5.5 管线综合布置

5.5.1 管线综合布置应符合下列规定:

1 管线布置应与工厂总平面布置、竖向设计和绿化设计相结合,统一规划;

2 管线之间,管线与建(构)筑物、道路等之间在平面及竖向上应相互协调,紧凑合理,节约用地;

3 管线在满足生产、安全、检修的条件下宜采用共架、共沟布置,地上、地下管道布置应符合现行国家标准《工业企业总平面设计规范》GB 50187 的有关规定;

4 管线布置应减少管线与道路交叉,当不能避免交叉时宜正交,斜交时的交叉角不宜小于 45°。

5.5.2 管线敷设方式应根据管线内介质、工艺和材质要求、生产安全、交通运输、施工检修和厂区条件等因素,结合工程的具体情况,经技术经济比较后综合确定。

5.5.3 山区建厂时,管线敷设应充分利用地形条件,避免山洪、泥石流及其他不良地质对管线的危害。

5.5.4 分期建设的项目,管线布置应全面规划、近期集中、远近结合。近期管线穿越远期用地时,不得影响远期土地的使用。

5.5.5 地下管线与建(构)筑物之间的最小水平净距应符合本规范表 A.0.1 的规定。在湿陷性黄土地区敷设地下管线时还应符合现行国家标准《湿陷性黄土地区建筑规范》GB 50025 的有关规定。

5.5.6 地下管线之间的最小水平净距宜符合本规范表 A.0.2 的规定。

5.5.7 地下管线之间的最小垂直净距宜符合本规范表 A.0.3 的规定。

5.5.8 改建、扩建工程中的管线综合布置不应妨碍现有管线的正常使用。当管线净距不能满足本规范表 A.0.1～表 A.0.3 的有关规定时,可缩小的净距最大不应超过 15%。

6 原　　料

6.1　原料的选择与品质要求

6.1.1　原料的选择应符合本规范第 6.1.2 条的规定,并宜优选合格粉料进厂方案。当采用矿石原料进厂时,块度宜在 50mm～200mm 范围内。

6.1.2　原料品质要求应符合下列规定:

　　1　硅质原料品质应符合表 6.1.2-1 的规定。

表 6.1.2-1　硅质原料品质

主要氧化物含量(%)			粒度(%)		含水量	相对密度＞2.9 的难熔重矿物	
二氧化硅(SiO$_2$)	三氧化二铝(Al$_2$O$_3$)	三氧化二铁(Fe$_2$O$_3$)	＞0.7mm	＜0.1mm	(%)	含量	粒度(mm)
＞97.50	＜1.0	＜0.10	0	＜5.0	＜5.0	每千克不得超过 10 粒	＜0.30

　　2　白云石品质应符合表 6.1.2-2 的规定。

表 6.1.2-2　白云石品质

主要氧化物含量(%)		粒度(%)		含水量	酸不溶物含量(%)
氧化镁(MgO)	三氧化二铁(Fe$_2$O$_3$)	＞2.5mm	＜0.1mm	(%)	
＞20.0	＜0.15	0	＜15	＜1.0	＜1.0

　　3　石灰石品质应符合表 6.1.2-3 的规定。

表 6.1.2-3　石灰石品质

主要氧化物含量(%)		粒度(%)		含水量	酸不溶物含量(%)
氧化钙(CaO)	三氧化二铁(Fe$_2$O$_3$)	＞2.5mm	＜0.1mm	(%)	
≥54	＜0.15	0	＜15	＜1.0	＜1.0

4 长石品质应符合表 6.1.2-4 的规定。

表 6.1.2-4　长石品质

主要氧化物含量(%)			粒度(%)		含水量
二氧化硅 (SiO_2)	三氧化二铝 (Al_2O_3)	三氧化二铁 (Fe_2O_3)	>0.5mm	<0.1mm	(%)
<70	≥16.5	<0.2	0	<30	<1.0

5 纯碱品质应符合现行国家标准《工业碳酸钠及其试验方法 第 1 部分:工业碳酸钠》GB 210.1 中 I 类或 II 类优等品的规定,并应采用重碱。

6 芒硝品质应符合现行国家标准《工业无水硫酸钠》GB/T 6009 中 I 类一等品的规定。

7 煤粉品质应符合表 6.1.2-5 的规定。

表 6.1.2-5　煤粉品质

化学成分(%)		粒度(%)		含水量
碳(C)	灰分	>1.0mm	<0.1mm	(%)
>75	<15	0	<20	<1.0

8 硝酸钠品质应符合现行国家标准《工业硝酸钠》GB/T 4553 中一等品的规定。

6.2　玻璃成分和配料

6.2.1 浮法玻璃基础成分应符合表 6.2.1 的规定。

表 6.2.1　浮法玻璃基础成分(%)

成分	二氧化硅 (SiO_2)	三氧化二铝 (Al_2O_3)	三氧化二铁 (Fe_2O_3)	氧化钙 (CaO)	氧化镁 (MgO)	氧化钠和氧化钾 (Na_2O+K_2O)	三氧化硫 (SO_3)
百分比	72~73	0.5~1.6	0.015~0.10	7.5~9.5	3.4~4.0	13.0~14.5	0.2~0.3

6.2.2 配料计算应符合下列规定:

1 芒硝含率不应大于 3.5%;

2 纯碱在熔窑中的飞散率可按 0.5% 计算;

3 当产品为超白玻璃时,配料计算中宜计入碎玻璃带入的三氧化二铁(Fe_2O_3)量。

6.2.3 配合料质量应符合下列规定:

1 出混合机时,配合料含水率应为 3%～5%,料温宜高于 38℃;

2 碱含量均方差不宜大于 0.28;

3 配合料中不应有料团和结块;

4 应避免粉尘回收影响配合料质量。

6.3 工艺设备选型

6.3.1 设备选型应符合下列规定:

1 系统中同类设备宜选用同型号、同规格的设备;

2 设备生产能力应根据检修维护要求留有富余量。

6.3.2 破碎筛分设备选择应符合下列规定:

1 破碎段数应根据破碎比确定;

2 破碎设备应根据破碎能力、排矿粒度、单位排矿口的生产能力和循环负荷率选择;

3 筛分设备应根据筛分效率、单位筛网面积生产能力选择;

4 在未掌握矿物原料的物理机械性能时,应做破碎筛分工业性试验。

6.3.3 称量、混合设备选型应符合下列规定:

1 称量设备的静态精度应为 1/2000,动态精度不应低于 1/1000,10kg 以下小秤的动态精度可不低于 4/1000;

2 称量时间应小于集料输送时间和混合时间之和;

3 混合机内加水应设计量装置;

4 混合设备应选用密封好、混合均匀度高、混合时间短、易损件寿命长、便于检修的节能型产品。

6.3.4 溜管、溜槽及料仓应符合下列规定:

1 溜管、溜槽应通畅无阻塞,应耐磨、密封、方便拆卸与修补;

2 缓冲料仓、粉料料库下部仓斗应采用钢结构。

6.3.5 生产超白玻璃时,斗式提升机料斗宜采用高强度非金属材料,进、出料口应设置耐磨防铁内衬。缓冲料仓、粉料料库下部钢斗应配置耐磨防铁内衬。

6.4 工艺流程及布置

6.4.1 原料储存应符合下列规定:

1 硅质原料宜采用均化库或吊车库储存,储存期宜大于30d;

2 冬季硅质原料储库内的温度不应低于0℃;

3 北方地区的硅质原料储存期应根据当地气候条件延长;

4 其他原料的储存期应根据当地运输条件确定,不宜少于20d。

6.4.2 原料日用仓储存期应符合下列规定:

1 硅质原料不应少于2d;

2 其他原料不宜少于3d。

6.4.3 原料加工过程应密闭,原料加工和运输应采用机械化、自动化的工艺流程。

6.4.4 原料破碎筛分系统宜各自分设,当两种原料合用一套破碎筛分系统时,应避免原料相互混掺。

6.4.5 在多段破碎筛分系统中,各段破碎设备生产能力不平衡时,应设缓冲料仓。

6.4.6 原料储存、破碎筛分上料和称量混合三个系统的工艺流程应遵循流程短、环节少和避免交叉运输的原则。

6.4.7 粉料库应设破拱或助流装置。

6.4.8 生产超白玻璃时,原料工艺流程中应设有除铁、防铁装置。

6.4.9 潮湿地区的芒硝、纯碱应设破碎筛分装置,并应先筛分后破碎。

6.4.10 配合料输送设备工艺布置应符合下列规定:

1 配合料输送距离应短,倒运次数应少,落差应小,并应避免配合料分层;

2 配合料输送至窑头料仓前的温度应保持在35℃以上;

3 应设有排出废配合料的装置;

4 宜设置应急供料装置;

5 胶带输送机设计与使用中应防止漏料;

6 胶带输送机上方应设除铁装置;

7 胶带输送机通廊的净宽尺寸应符合本规范附录 B 的规定。

6.4.11 原料车间应设有设备检修与吊装设施。

6.4.12 外露提升机头部和机身应设防雨罩。

6.4.13 噪声超过本规范附录 G 规定的生产区应设隔离操作室。

6.4.14 纯碱、芒硝生产操作区域内不应用水冲洗设备、墙和地面,且不应设降尘喷雾风扇。

6.4.15 原料车间内应设化验站、易损件库。

7 浮法联合车间

7.1 一般规定

7.1.1 主要工艺技术指标应根据产品质量、产品方案,结合实际建设条件选定。

7.1.2 工艺设备设计和选型应符合技术先进、运行安全、相互匹配要求,并应满足生产优质产品的要求。

7.1.3 主线工艺设备机组利用率不应低于98%。

7.2 熔 化 系 统

7.2.1 供料系统应符合下列规定:

    1 窑头料仓应符合下列规定:

      1)宜储存3h~4h的熔窑用料量;

      2)应设置料位检测及报警装置;

      3)应有除尘设施。

    2 投料机选型应符合下列规定:

      1)投料能力应满足熔化量要求;

      2)入窑配合料的落差应满足工艺要求;

      3)应具备调整偏料和料层厚度的功能。

7.2.2 熔窑燃烧系统应符合下列规定:

    1 应采用火焰长度可调、燃烧效率高、低噪声、低氮氧化物(NOx)排放的燃油或燃气喷枪;

    2 空气助燃熔窑每对小炉应设燃料流量计量调节装置,全氧助燃熔窑每支氧枪应设燃料流量计量调节装置;

    3 燃料油宜采用蒸汽、电两级加热,温度应分别控制;

    4 全氧助燃熔窑的氧气管道设计应符合现行国家标准《氧气

站设计规范》GB 50030 和《压力管道规范　工业管道》GB/T 20801
的有关规定。

7.2.3 空气助燃熔窑的助燃风系统应符合下列规定：

　　1 助燃风量、风压应满足熔窑在不同工况和熔窑后期增量的要求，并应有备用风机；

　　2 每个小炉助燃风量应与燃料量实行自动比例调节；

　　3 助燃风机应采用变频调节技术。

7.2.4 空气助燃熔窑燃烧换向应符合下列规定：

　　1 换向应符合下列规定：

　　　　1）应设自动、半自动和手动换向装置；

　　　　2）控制室应设换向程序显示屏。

　　2 换向方式应根据燃料种类确定，并应符合下列规定：

　　　　1）燃油宜采用喷枪前支管换向；

　　　　2）燃油雾化介质宜采用总管或分区换向；

　　　　3）天然气、焦炉煤气宜采用小炉支管换向；

　　　　4）发生炉煤气应采用钟罩式煤气交换机换向。

　　3 助燃空气宜采用小炉支管换向。

　　4 烟气宜采用支烟道或分支烟道换向的烟气交换机，当采用分支烟道单独传动时，应采用同步控制。

7.2.5 熔窑冷却风应符合下列规定：

　　1 对熔窑吹冷却风的部位应根据熔窑结构确定。

　　2 冷却风应符合下列规定：

　　　　1）熔窑自投产开始，冷却风不得中断；

　　　　2）车间内应设有备用风机；

　　　　3）应保证冷却风出口的风速和风量；

　　　　4）池壁冷却风机应采用变频调节技术。

7.2.6 熔窑设计应符合下列规定：

　　1 熔窑设计应遵循下列原则：

　　　　1）应满足生产工艺、生产规模和玻璃液质量的要求；

2）应适应燃料种类、燃料助燃方式及配合料性能要求；

3）应节约能源、降低能耗；

4）宜采用新结构、新技术的窑型；

5）应根据窑龄、燃料种类，合理配套选用优质耐火材料。

2　熔窑设计主要技术指标应符合下列规定：

1）日熔化玻璃液可按 500t/d、600t/d、700t/d、800t/d、900t/d、1000t/d、1100t/d、1200t/d 等进行分级。

2）空气助燃熔窑熔化率宜按表 7.2.6 的规定确定。

表 7.2.6　空气助燃熔窑熔化率

熔化量 (t/d)	熔化率[t/(m² · d)]		
	重油、天然气	焦炉煤气	发生炉煤气
500、600	2.0～2.2	1.7～1.9	1.7～1.9
700、800、900	2.1～2.4	1.9～2.1	1.9～2.1
1000、1100、1200	2.3～2.6	—	—

注：1　熔化面积的计算长度算至末对小炉中心线后 1.0m 处。

2　焦炉煤气熔窑、发生炉煤气熔窑最大熔化量按 900t/d 计算。

3）单位重量玻璃液热耗应符合现行国家标准《平板玻璃单位产品能源消耗限额》GB 21340 的有关规定。

3　熔窑耐火材料设计应符合下列规定：

1）熔窑应优化耐火材料配置；

2）熔窑耐火材料应根据熔窑各部位的作业环境、玻璃质量、燃料种类及燃料助燃方式等因素确定；

3）全氧助燃熔窑大碹采用熔铸材料时应设计为环砌结构；

4）熔窑各部位耐火材料配置宜与熔窑整体寿命相匹配；

5）熔窑耐火材料的配置应经经济技术比较后确定经济合理的熔窑造价。

4　熔窑钢结构设计应符合下列规定：

1）熔窑各部位钢结构设计应能适应窑体在升温和降温条件下的受力、变形特性及某些设定的可调性能；

2）熔窑钢结构布置和连接应保持在地震力作用下的窑体各

部位及整体的稳定;

3）全氧助燃熔窑采用熔铸材料的大碹钢结构设计时,应能适应大碹熔铸材料在熔窑升温过程中随温度产生膨胀和收缩的变化;

4）采用熔铸材料的全氧助燃熔窑大碹每环应单独设计顶丝结构。

5 熔窑保温设计应符合下列规定:

1）熔窑应全保温;

2）保温材料应根据保温部位砌体的材质和交界面的温度选择。

6 空气助燃窑小炉、蓄热室设计应符合下列规定:

1）小炉对数应根据熔化量、燃料种类、熔化率以及温度曲线等因素确定;

2）一侧小炉口总宽度应占熔化部总长度的 $48\%\sim59\%$;

3）蓄热室宜使用筒形砖、十字形砖等换热效果较好的异形格子砖;

4）格子体总受热面积与熔化面积的比值宜为 $35:1\sim 50:1$。

7 全氧助燃熔窑排烟口设计应符合下列规定:

1）排烟口设计应根据窑炉产能大小、玻璃液质量要求、降低燃料消耗等因素,单独设置前置排烟口或综合设置前置、后置排烟口;

2）排烟口的烟气流速宜小于 $10m/s$。

8 烟道、烟囱设计应符合下列规定:

1）烟道应密封和保温;

2）全氧助燃熔窑烟道上应设计有冷风掺入系统;

3）烟囱设计应满足熔窑正常生产时抽力需要和熔窑后期阻力增加的要求,还应结合所在地区气压、气温的影响因素。

9 发生炉煤气的熔窑烟道必须采取煤气换向防爆措施。

10 冷修放玻璃水设计宜采用水淬法。

7.3 成 形 系 统

7.3.1 成形工艺设备、氮氢保护气体系统、冷却系统等设计应满足浮法工艺、生产规模、产品品种及质量的要求。

7.3.2 锡槽设计应符合下列规定：

1 锡槽结构型式和主要尺寸应满足玻璃液在锡槽内形成平整的玻璃带，并应冷却到由辊道托起进入退火窑的工艺条件；

2 锡槽设计应满足运行时槽压在 30Pa～50Pa 的要求；

3 锡槽保温设计应根据成形工艺的特性配材；

4 锡槽槽体各部位耐火材料配置应符合窑龄和玻璃质量的设计要求；

5 锡槽电加热装机功率和电加热区数量应符合成形工艺要求，每区电加热应有单独的功率调控装置；

6 锡槽电加热元件宜选三相硅碳棒；

7 锡槽钢结构设计应保证槽体在升温和降温时的强度、平整度和密闭性，并应与锡槽前后端连接设备协调一致；

8 锡槽槽底必须设置防止锡液渗漏的冷却设施。

7.3.3 成形系统应配备生产时必需的工艺设备及装置。

7.3.4 氮氢保护气体系统应设置氮氢流量比例控制系统。

7.3.5 锡槽工艺参数的检测与控制应采用计算机控制系统。

7.3.6 锡槽冷却风系统应设有备用风机，冷却风投入运行后不得中断，锡槽底层还应备有水冷设施。

7.4 退 火 系 统

7.4.1 退火窑设计应符合下列规定：

1 应保证玻璃带的退火质量，满足切裁与产品质量要求；

2 辊道的传动速度应满足工艺拉引速度的要求；

3 辊道的辊材和辊间距应满足不同玻璃规格和品质要求。

7.4.2 退火系统设计主要功能应符合下列规定：

1 退火窑应采用密封式全钢结构；

2 退火窑应采用电加热；

3 玻璃带在退火窑内的冷却方式宜根据温度区域确定；

4 退火窑传动应采用无级调速，并应设置备用传动站，还可设置应急传动装置；

5 退火窑 A 区宜设置浮法玻璃在线测厚仪；

6 车间内宜配备专用换辊车。

7.5 冷 端 系 统

7.5.1 冷端系统设计应符合下列规定：

1 输送距离应根据玻璃生产规模、产品规格和等级确定；

2 机组自动化程度应与总工艺要求相适应。

7.5.2 冷端系统主要技术指标应符合下列规定：

1 冷端输送速度应满足工艺拉引速度的要求；

2 切割精度应符合现行国家标准《平板玻璃》GB 11614 的有关规定；

3 输送辊道设计应符合下列规定：

1）玻璃板在输送辊道上的全长允许跑偏量应为±50mm；

2）输送辊道传动方式宜采用分段传动；

3）输送辊道应设有避免传送过程中玻璃碰撞、擦伤的措施。

7.5.3 冷端系统的分区及装备设置应符合下列规定：

1 玻璃质量检验和预处理区应符合下列规定：

1）玻璃质量检验应按现行国家标准《平板玻璃》GB 11614
执行；

2）冷端系统应设人工检测室，并宜配备在线应力测定仪、缺
陷自动检测仪；

3）冷端系统应设应急横切机、应急落板装置。

2 切割掰板区应符合下列规定：

  1）应设测量桥，纵切机，横切机，横向掰断、掰边机；

  2）应设置纵向掰断、纵向分离及主线落板装置。

3 分片堆垛区应符合下列规定：

  1）分片装置、分片线、堆垛机的布置及选型应根据产品规格、质量等级确定；

  2）分片堆垛区宜设置喷粉机，有特殊要求时可设铺纸机。

7.6 碎玻璃系统

7.6.1 冷端生产线产生的碎玻璃，在正常生产时不应落地，应通过输送带直接进入碎玻璃仓。碎玻璃仓应能储存熔窑 1d～2d 正常生产用碎玻璃量。

7.6.2 落板装置及掰边装置下面应设破碎机。破碎后的碎玻璃块径不应大于 50mm。

7.6.3 碎玻璃系统应设置有围蔽设施的碎玻璃堆场。

7.6.4 碎玻璃送到碎玻璃仓前应设除铁装置。

7.7 成品包装与储存

7.7.1 成品玻璃包装应符合下列规定：

  1 成品玻璃宜选用集装架包装，有特殊要求时可采用木箱包装；

  2 小批量、小规格的成品玻璃可采用花格或组合大木箱包装；

  3 玻璃片之间宜采取喷粉、夹纸等防护措施。

7.7.2 成品玻璃在运输和装卸时应有防雨雪措施。

7.7.3 成品玻璃储存与成品库应符合下列规定：

  1 成品玻璃应储存在库房内。

  2 成品库面积可按存储不低于 20d 玻璃产量计算。

  3 单位面积储存成品玻璃定额应符合下列规定：

    1）采用集装架时，不应少于 40 重量箱/m²；

    2）采用木箱时，不应少于 60 重量箱/m²。

4   成品库面积利用系数宜取 0.7。

5   成品库内应设置与堆存、外运相适应的运输、吊装设备。

7.8   车间工艺布置

7.8.1   浮法联合车间工艺布置应符合下列规定：

    1   车间布置应工艺流程顺畅、操作运输方便，车间长度方向上可按工段隔断；

    2   车间内的各类管道、电缆应统筹布置、整齐顺畅。

7.8.2   熔化工段工艺布置应符合下列规定：

    1   底层布置应符合下列规定：

      1）空气蓄热室外壁至厂房构件的净距不宜小于 3.5m；

      2）熔窑窑底和蓄热室周围的操作净距及地面工艺布置应满足设备安装、检修要求。

    2   操作层布置应符合下列规定：

      1）投料池壁至车间山墙前的净距不宜小于 12m；

      2）操作层楼面与室外有较大高差时，应有垂直运输设备或搭临时坡道位置。

    3   空间高度应符合下列规定：

      1）底层空间高度应满足蓄热室热修高度和设备安装高度要求；

      2）屋架下弦高度应根据熔窑上部钢结构和配合料输送设备确定。

    4   操作楼梯及门设置应符合下列规定：

      1）操作层楼面应有对外联系的楼梯（门）及直通底层楼梯；

      2）操作层与投料平台应有直接联系的楼梯。

7.8.3   成形工段工艺布置应符合下列规定：

    1   锡槽冷却风系统宜布置在成形工段底层，底层楼面与锡槽底壳间距大于 3.5m 时宜设操作检修平台；

2 操作层厂房宽度应满足锡槽两侧拉边机、冷却器等操作空间的要求；

3 流道流槽处宜安装检修用的起重运输设备；

4 操作层与底层、检修平台之间应有直通楼梯与通道；

5 操作层辅房宜设三大热工设备集中控制室和氮氢保护气体配气室；

6 氮氢保护气体配气室的建筑耐火等级不应低于现行国家标准《建筑设计防火规范》GB 50016 中的二级，用电要求应为防爆1区。

7.8.4 退火工段工艺布置应符合下列规定：

1 操作层的厂房内净宽度，在传动站侧不宜小于 3m，在非传动站侧应符合抽换退火窑辊子要求；

2 操作楼（地）面标高宜与成形操作楼（地）面一致。

7.8.5 冷端系统工艺布置应符合下列规定：

1 厂房及地下室空间尺寸应满足碎玻璃系统布置要求，成品库、集装架堆场和包装材料库宜紧靠冷端系统布置；

2 操作层厂房的宽度、长度及标高应根据冷端机组的工艺布置形式确定；

3 机组两侧和末端的净距应考虑叉车、吊车的工作范围；

4 操作层应设冷端控制室、玻璃质量检验室。

8 燃 料

8.1 一 般 规 定

8.1.1 平板玻璃工厂宜采用天然气、重油、焦炉煤气、发生炉煤气等燃料。

8.1.2 玻璃生产用燃料应来源可靠、近地供应、经济合理,并应满足玻璃生产工艺的要求。

8.1.3 熔窑用燃料应做到燃料热值和压力稳定、供应连续可靠。

8.1.4 燃气站,燃气、燃油管道工艺设计应符合现行国家标准《建筑设计防火规范》GB 50016、《城镇燃气设计规范》GB 50028、《工业金属管道设计规范》GB 50316 和《压力管道规范 工业管道》GB/T 20801 的有关规定。

8.2 重 油

8.2.1 油站设计应符合现行国家标准《石油库设计规范》GB 50074 和《储罐区防火堤设计规范》GB 50351 的有关规定。

8.2.2 熔窑使用的重油应符合现行行业标准《燃料油》SH/T 0356 的有关规定。

8.2.3 供卸油系统工艺布置应符合下列规定:

  1 铁路、公路运输时宜采用自卸方式,水路运输时应采用油泵卸油。

  2 油泵房布置应符合下列规定:

  1)油泵房宜为独立的地上式建筑;

  2)油泵房宜设有控制室、油泵间;

  3)控制室与油泵间的隔墙上应设观察窗;

  4)油泵宜单排布置。

8.2.4 供卸油设备选型应符合下列规定：

1 卸油泵不应少于 2 台；

2 供油泵不应少于 3 台，宜选用螺杆泵或齿轮泵；

3 泵前应设过滤器，过滤器应便于清洗并应有备用品；

4 过滤器滤网的总流通面积与进口管断面积的比值不应小于 10，过滤网孔应符合油泵要求；

5 油罐宜选用蒸汽加热，也可选用电加热和热导油加热；

6 宜选用立式拱顶钢油罐；

7 油罐不宜少于 2 座。

8.2.5 燃油管道设计应符合下列规定：

1 油管道应设蒸汽伴管、热导油伴管或电热带伴热并保温；

2 油管道应设蒸汽吹扫装置；

3 油管道应接地。

8.2.6 浮法联合车间供油系统应符合下列规定：

1 厂区油站向车间供油应采取单供单回系统，供回油比可取 5：2～2：1。

2 熔窑燃油雾化介质应采用压缩空气。

3 车间油路系统设备选型应符合下列规定：

　　1）燃油加热器可根据油质情况采用蒸汽加热器单级加热或电加热器两级加热；

　　2）燃油流量计宜采用质量流量计。

8.3 天 然 气

8.3.1 外供天然气应有一用一备两个供气源，当无两个气源时，厂内应设有其他备用燃料。

8.3.2 天然气站宜独立设置，宜采用调压计量撬。

8.3.3 天然气进厂压力不宜低于 0.25MPa。

8.3.4 天然气站工艺布置应符合下列规定：

1 天然气系统宜设两级调压，厂区应设一级调压配气站，用气车间内应设二级调压配气室；

2 厂区调压配气站内应设过滤、调压、计量、旁通、安全放散及泄漏报警等装置；

3 厂区调压配气站内通道宽度不应小于 2m，厂区调压配气站外应设消防通道；

4 厂区调压配气站工艺布置及设备选型应符合现行国家标准《城镇燃气设计规范》GB 50028 的有关规定。

8.3.5 浮法联合车间的天然气系统应符合下列规定：

1 进车间天然气干管应设过滤器、安全切断和安全阀。

2 车间应设天然气配气室和流量调节装置。

3 天然气系统设备选型应符合下列规定：

1）熔窑宜选用节能环保型天然气喷枪；

2）调节阀应选用气开式气动薄膜调节阀；

3）车间配气室天然气计量系统应符合现行国家标准《用能单位能源计量器具配备和管理通则》GB 17167 的有关规定。

4 车间天然气配气室的建筑耐火等级不应低于现行国家标准《建筑设计防火规范》GB 50016 规定的二级，用电要求应为防爆 1 区。

8.4 发生炉煤气

8.4.1 发生炉煤气应符合下列规定：

1 供气应连续、稳定；

2 煤气发热值不得低于 5862kJ/Nm³。

8.4.2 煤气炉台数应满足工艺要求，当同时使用 5 台及以下时应备用 1 台，当同时使用 5 台以上时，应备用 2 台。

8.4.3 热煤气管道应符合下列规定：

1 热煤气管道设计应符合现行国家标准《发生炉煤气站设计规范》GB 50195 的有关规定；

2 热煤气管道上应设人孔、吹烟灰孔、滚动支座、膨胀节等；

3 热煤气在管道中的流速不宜大于 10m/s。

8.4.4 发生炉煤气站设计应符合现行国家标准《发生炉煤气站设计规范》GB 50195 的有关规定。

8.5 焦炉煤气

8.5.1 焦炉煤气低位热值不得低于 15900kJ/Nm³。

8.5.2 焦炉煤气系统应有重油或天然气作备用燃料。

8.5.3 焦炉煤气的加压机应设有备用。

8.5.4 窑炉换火时焦炉煤气管道应设置管道泄压装置。

8.5.5 浮法联合车间的焦炉煤气系统应符合下列规定：

1 进车间焦炉煤气干管应设过滤器、紧急切断阀和安全放散阀等装置。

2 车间应设焦炉煤气配气室和流量调节装置。

3 焦炉煤气系统设备选型应符合下列规定：

1）熔窑应选用节能环保型焦炉煤气喷枪；

2）调节阀宜选用气开式气动薄膜调节阀。

4 车间焦炉煤气配气室的建筑耐火等级不应低于现行国家标准《建筑设计防火规范》GB 50016 规定的二级，用电要求应为防爆 1 区。

8.6 其 他 燃 料

8.6.1 使用柴油应符合下列规定：

1 柴油应仅作为玻璃熔窑的备用燃料和柴油发电机用燃料使用；

2 油站设计应符合现行国家标准《石油库设计规范》GB 50074 的有关规定；

3 选用地下油罐应采用自流式卸油，拱顶油罐应采用油泵卸油；

4 油泵宜优先选用螺杆泵或齿轮泵；

5 柴油泵房布置应按本规范第8.2.3条第2款的规定执行。

8.6.2 使用液化石油气应符合下列规定：

1 液化石油气站设计应符合现行国家标准《液化石油气供应工程设计规范》GB 51142的有关规定；

2 液化石油气用量大于1t/d时宜采用液化石油气储罐储存,用量小于1t/d时可采用钢瓶组。

9 供　　气

9.1　一　般　规　定

9.1.1 锡槽用氮氢保护气体应符合下列规定：

　　1 氮气和氢气的含氧量不应大于 5ppm；

　　2 氮气和氢气的露点应在－60℃以下；

　　3 氢气中残氨含量不应大于 2ppm；

　　4 氢气中残碳（CO、CO_2）含量不应大于 5ppm；

　　5 氢气的压力不应小于 0.03MPa；

　　6 氮氢保护气体应连续供气，氮氢保护气体的用量、压力、配比应根据成形工艺要求确定。

9.1.2 熔窑助燃氧气的纯度不宜小于 92％，压力不宜小于 0.15MPa。

9.2　高纯氮气与氧气制备

9.2.1 高纯氮气制备应选择深冷空气分离法。

9.2.2 空分装置应符合下列规定：

　　1 设备型号宜统一，并应设置备用机组；

　　2 空分装置应选用生产氮气的同时可生产少量液氮的设备；

　　3 确定设计容量时，空气压缩机的选型应计入当地海拔高度、温度、湿度的影响；

　　4 分馏塔生产能力和数量应根据生产线规模和数量经技术经济比较后确定；

　　5 空分设备的规模达到一定能力时，宜采用可同时生产氮气和氧气的深冷空分设备。

9.2.3 液氮储存与气化装置应符合下列规定：

1 氮气应以液氮储存,最小储存量不宜小于 1 台空分装置启动时间内总氮气补充量,气化装置的气化能力不应小于总氮气供应量;

2 液氮储槽宜布置在分馏塔附近;

3 废液的排放应引至安全排放处。

9.2.4 管道系统宜符合下列规定:

1 氮气管道设计流速宜取 8m/s~12m/s;

2 高纯氮气管道上宜选用波纹管截止阀。

9.2.5 氮气站设计应符合现行国家标准《氧气站设计规范》GB 50030 的有关规定。

9.2.6 全氧助燃窑用氧气宜采用与气体供应商合作模式。供氧站应设在玻璃工厂附近,并应有能连续供氧的液氧储备。

9.3 高纯氢气制备

9.3.1 高纯氢气的制备工艺应根据氢气用量规模,经技术经济比较后综合确定。制备工艺可选用水电解制氢、天然气制氢、氨分解制氢或甲醇裂解制氢。

9.3.2 高纯氢气制备装置、气体净化装置宜设有备用机组。

9.3.3 制氢宜设有高纯氢气储存设施。

9.3.4 氨分解制氢站应设残氨处理设施,液氨应有储存量。

9.3.5 高纯氢气制备工艺的设计应符合现行国家标准《氢气站设计规范》GB 50177 的有关规定。

9.3.6 氢气管道设计流速宜为 4m/s~12m/s。

9.3.7 氨气管道设计流速宜为 10m/s~15m/s。

9.4 压 缩 空 气

9.4.1 压缩空气用量和品质应按使用要求确定。

9.4.2 空气压缩机设备选型应符合下列规定:

1 玻璃熔窑燃料采用重油时,燃油雾化气应采用压缩空气,压缩空气站宜选用有油润滑的空气压缩机；

    2 玻璃熔窑燃料采用焦炉煤气或天然气时，压缩空气站宜选用无油润滑的空气压缩机；

    3 玻璃熔窑燃料采用焦炉煤气或天然气又需重油备用时，压缩空气站宜用氮气站的空气压缩机作为备用机组；

    4 空气压缩机设备的选型应计入当地海拔高度、温度、湿度的影响。

9.4.3 压缩空气站应有备用机组。

9.4.4 压缩空气站净化设备，在采暖地区应选用吸附干燥装置，非采暖地区可选用冷冻干燥装置。

9.4.5 压缩空气站设计应符合现行国家标准《压缩空气站设计规范》GB 50029 的有关规定。

10 电 气

10.1 负荷分级及供配电系统

10.1.1 厂区电力负荷等级应符合下列规定：

1 浮法联合车间熔化工段、成形工段、退火主传动和循环水泵房等生产用电负荷应为一级负荷；

2 浮法联合车间退火工段、切裁工段和压缩空气站、氢气站、氮气站、燃料站、原料车间等生产用电负荷应为二级负荷；

3 不属于一级和二级负荷的用电负荷为三级负荷。

10.1.2 供电电源不应少于两个，且至少一个应采用专用线路供电。车间一级负荷应由双重电源供电，当一个电源发生故障时，另一电源不应同时受到损坏，并应能继续供电。

10.1.3 供电电源应符合下列规定：

1 供电电源的总供电量应满足熔窑、锡槽、退火窑同时烤窑升温时的最大用电量要求；

2 正常生产时两路电源宜同时供电，每路宜负担全厂生产负荷的50%；

3 当一路电源故障中断供电时，另一路电源应满足全厂一级和二级负荷的用电量要求。

10.1.4 厂外供电电源宜采用35kV及以上电压，也可采用20kV或10kV。

10.1.5 高压配电系统应采用放射式供电，并应预留余热发电并网接入开关。余热电站并网接入系统设计应符合对继电保护、计量和通信的要求。

10.1.6 配电系统设计应将一级和二级负荷的两路供电线路分接在不同的电源侧。

10.1.7 低压配电系统宜采用放射式供电。车间内有单相负荷时宜使配电系统的三相负荷分配平衡。

10.1.8 工厂电源进线的功率因数应符合供电要求,应在低压侧进行无功功率补偿,并宜采用成套功率因数自动补偿装置,也可采用高压侧和低压侧结合补偿方式。

10.1.9 供配电系统设计应符合现行国家标准《供配电系统设计规范》GB 50052 和《用能单位能源计量器具配备和管理通则》GB 17167 的有关规定。

10.2 变(配)电所

10.2.1 工厂应设总变(配)电所,并宜独立设置。

10.2.2 总变(配)电所布置应便于操作维护管理,并宜采用室内单层布置。当采用双层布置时,变压器应设在一层。

10.2.3 总变(配)电所应符合下列规定:

    1 主接线应采用分段单母线接线方式,并应满足供电可靠、运行灵活和便于扩建等要求;

    2 高压断路器应采用集中操作、监视,宜采用微机继电保护装置;

    3 宜采用直流操作电源,并宜选用双电源、单电池组的成套硅整流电池屏。

10.2.4 车间变电所宜依附用电生产车间设置。几个用电区共用的车间级变电所也可独立设置。车间变电所的位置应接近用电负荷中心,进出线应方便。

10.2.5 带有大量一级和二级负荷的车间变电所应由两个及以上电源供电。当均为高压供电时,应装设两台及以上变压器。当有一台变压器故障或有一个电源中断供电时,其余变压器应仍能保证一级和二级负荷的供电。

10.2.6 供锡槽、退火窑用电的车间变电所的变压器,总容量应满足烤窑时的最大用电量要求。

10.2.7 车间变电所的低压配电设备应采用成套低压配电装置。变压器出线开关、分段母线开关、配电给一级和二级负荷的回路开关宜采用低压断路器。

10.2.8 电气装置的布置,导体、电器选择以及土建、通风等设计应符合现行国家标准《3～110kV 高压配电装置设计规范》GB 50060 的有关规定。

10.2.9 电气装置的继电保护和电气测量设计应符合现行国家标准《电力装置的继电保护和自动装置设计规范》GB/T 50062 和《电力装置的电测量仪表装置设计规范》GB/T 50063 的有关规定。

10.2.10 电气装置的过电压保护和接地设计应符合现行国家标准《交流电气装置的过电压保护和绝缘配合设计规范》GB/T 50064 和《交流电气装置的接地设计规范》GB/T 50065 的有关规定。

10.3 车间电力设备和电气配线

10.3.1 电气设备保护应符合下列规定:

 1 多尘场所的电气设备应有防尘措施,宜设单独的隔尘房间,电气设备设在现场时,电气设备的防护等级应为 IP5X 级,经常用水冲洗的地段应为 IP54 级;

 2 储运和处理纯碱、芒硝场所的电气设备和电气配线,应有防尘、防酸(碱)腐蚀的措施。

10.3.2 可能出现爆炸性气体混合物环境时,爆炸危险区级划分、包含范围和电力装置设计应符合现行国家标准《爆炸危险环境电力装置设计规范》GB 50058 的有关规定。

10.3.3 车间内低压用电设备应通过电力配电箱配电,不同负荷等级的配电箱宜分别设置,装机容量大的用电设备宜直接由车间变电所的低压侧放射式配电。

10.3.4 一级负荷应由两路电源供电,两路电源应能自动切换。

一级负荷中特别重要的负荷,除由两路电源供电外,还应增设应急电源。二级负荷宜由两路电源供电,两路电源宜能自动切换。

10.3.5 在两路低压电源不全停电时,应有安全检修电源自动切换装置的主开关,主开关宜采用抽出式低压断路器。

10.3.6 交流电机应采用全压启动方式,当不符合全压启动条件时,宜采用降压启动或选用其他启动方式。

10.3.7 车间内低压电动机保护应符合下列规定:

    1 交流电动机应设短路保护、接地故障保护,并应根据电动机的用途分别装设过载保护、断相保护、低电压保护;

    2 直流电动机应装设短路保护,并应根据需要装设过载保护、失磁保护、超速保护;

    3 同步电动机应装设失步保护。

10.3.8 配合料输送系统、煤气站上煤系统、碎玻璃输送系统等应采用机组联锁控制方式,并应能转换到解锁方式下运行。

10.3.9 车间低压配线线路多的场所宜采用电缆桥架配线或电缆沟内敷设。

10.3.10 车间低压配电设备及配电线路设计应符合现行国家标准《低压配电设计规范》GB 50054 的有关规定。

10.3.11 通用用电设备配电设计应符合现行国家标准《通用用电设备配电设计规范》GB 50055 的有关规定。

10.4 电 气 照 明

10.4.1 电气照明应采用荧光灯、高强气体放电灯和发光二极管(LED)等绿色光源;浮法联合车间的操作层等高大厂房宜采用高强气体放电灯及其混合照明。

10.4.2 有夜班工作的控制室、配电室、发电机房、水泵房等场所和重要通道应设应急照明。重要操作区照明宜采用双回路交叉供电方式。

10.4.3 有爆炸、火灾危险场所的灯具、开关和照明配线选型和设计应按环境危险级别确定。

10.4.4 潮湿场所应采用防水灯具或带防水灯头的开敞式灯具，照明线路应暗配，开关应置于潮湿环境以外。

10.4.5 多尘埃场所的灯具防护等级不应低于 IP5X。

10.4.6 照明供电电压应根据使用要求、工作环境的安全条件，选用 220V、36V、24V、12V。

10.4.7 建筑照明设计应符合现行国家标准《建筑照明设计标准》GB 50034 的有关规定。

10.4.8 厂区道路照明设计宜符合现行行业标准《城市道路照明设计标准》CJJ 45 的有关规定。

10.5 电力线路敷设

10.5.1 厂区电力线路宜采用电缆直接埋地或电缆沟内敷设。

10.5.2 厂区电力线路的走向、路径应协同总图布置统一规划。

10.5.3 供给一级负荷的两路电力电缆不应在同一电缆沟内敷设，当无法分开时，该电缆沟内的两路电缆应采用阻燃型电缆，且应分别敷设在电缆沟两侧的支架上。

10.5.4 电力线路设计应符合现行国家标准《电力工程电缆设计规范》GB 50217 的有关规定。

10.6 建 筑 防 雷

10.6.1 氢气站、天然气配气站、煤气站主厂房、氢气储罐等的防雷设施应按第二类防雷建筑物设置。

10.6.2 年预计雷击次数大于 0.25 次的浮法联合车间、原料车间、深加工车间等一般性工业厂房，防雷设施应按第二类防雷建筑物设置；年预计雷击次数不大于 0.25 次的一般性工业厂房，防雷设施应按第三类防雷建筑物设置。

10.6.3 油站、油泵房和油罐区的防雷设施宜按第二类防雷建筑物设置。钢质油罐的壁厚不小于 4mm 时，可不装设专门的接闪器,但应接地,且接地点不应少于两处,冲击接地电阻不应大于 10Ω。

10.6.4 建筑防雷设计应符合现行国家标准《建筑物防雷设计规范》GB 50057 的有关规定。

10.7 通信系统

10.7.1 厂区内应设办公电话和网络通信系统。

10.7.2 厂区通信线路设计应按现行国家标准《通信线路工程设计规范》GB 51158 的有关规定执行。

11 生产过程检测和控制

11.1 生产过程自动化

11.1.1 全厂自动化设计应满足生产工艺要求,符合节能降耗和保障人身安全的要求,同时应采用技术先进、性能可靠、维护方便的自动化技术。

11.1.2 主要生产过程自动化装备选型应符合下列规定:

1 原料系统宜采用可编程控制系统(PLC);

2 熔窑、锡槽、退火系统应采用分布式计算机控制系统(DCS、FCS)或等同技术配置的可编程控制系统(PLC);

3 冷端系统应采用可编程控制系统(PLC);

4 辅助生产系统宜采用计算机控制系统。

11.1.3 分布式计算机控制系统(DCS、FCS)和可编程控制系统(PLC)应具备开放性和可扩展性、易操作性和易维护性、完整性和成套性。

11.1.4 主生产线上的低压电气系统设备可采用智能化控制,并应通过标准开放网络与集散型计算机控制系统通信。

11.1.5 连续输送机械的自动控制应符合下列规定:

1 启动和停止应满足生产工艺及安全的要求;

2 连续输送机械自动控制系统中各单机不得自启动;

3 任何一台联锁机械故障停机时应使来料方向的全部联锁机械立即停车;

4 应能解除联锁、实现机侧单机控制,启停按钮及转换开关安装位置应安全、便于操作和维护。

11.1.6 全厂宜设置生产管理信息系统。

11.1.7 自动化系统接地宜设单独接地装置,工作接地和屏蔽接地可共用一组接地体,接地电阻应按其中最小值确定,每种接地应设独立接地干线引至接地体,并应符合现行国家标准《建筑物防雷设计规范》GB 50057 和《建筑物电子信息系统防雷技术规范》GB 50343 的有关规定。

11.2 配料称量系统的检测和控制

11.2.1 配料称量系统控制装置宜采用由多台配料控制器和可编程控制系统(PLC)作为下位机,工业控制机作为上位机。微机应按工艺流程进行协调运转控制和监视,并应能实时动态地显示系统流程状态及故障情况。

11.2.2 配料称量、混合系统的工艺设备应设运行及故障报警监视装置,硅质原料宜设置水分自动检测补偿装置。

11.2.3 带式输送机应设置事故断电拉绳开关,并应设置跑偏、过载、打滑、失速等报警和保护装置。

11.2.4 原料均化库、配合料皮带廊、碎玻璃皮带廊、窑头料仓及混合机等重要部位宜设置工业电视监视系统。

11.3 熔化系统的检测和控制

11.3.1 熔窑的检测和控制应符合下列规定:

1 在熔窑的碹顶、胸墙、蓄热室和烟道的有关部位应设温度检测点,重要检测点的温度应设记录及高限报警;

2 熔窑出口端的玻璃液温度应设自动控制;

3 熔化部窑压应设自动控制,冷却部窑压应设检测并可自动控制;

4 总烟道及烟囱根应设烟气抽力和温度检测;

5 玻璃液面应设自动控制。

11.3.2 燃烧系统检测和控制应符合下列规定:

1 熔窑燃烧系统的检测和控制装置应符合节能和环保要求;

2 熔窑燃烧系统宜设燃料温度、压力自动控制,总燃料流量

检测及累积计量;

    3 每对小炉或每支氧气喷枪应设燃料流量控制;

    4 雾化介质应设压力自动控制和流量检测;

    5 助燃空气或氧气应设压力检测和流量自动控制;

    6 燃料流量与助燃空气或氧气流量应设置比值控制系统;

    7 检测烟气残余氧气和一氧化碳含量时宜配备便携式分析仪或在线高温检测仪。

11.3.3 空气助燃熔窑燃烧换向控制应符合下列规定:

    1 燃烧换向应设置自动换向装置和人工换向装置;

    2 换向设备应有状态显示和故障报警装置;

    3 控制室内应设置换向主要过程显示。

11.3.4 对窑头配合料料仓、投料机的运行情况,以及熔窑内燃烧、熔化状况应设工业电视监视,其他生产区域可设置闭路电视监视装置。

11.3.5 熔窑的冷却风机、助燃风机等机电设备均应设运行显示和故障报警装置。对于重要设备的冷却水进出口温度宜设显示和超温报警装置,并应在进水口设计断水报警装置。

11.3.6 窑头料仓宜设料位检测装置。

11.4 成形系统的检测和控制

11.4.1 锡槽应按工艺要求设置若干电加热区,各加热区的功率应可调节。

11.4.2 供配电和控制设备设计应确保锡槽烤窑和事故处理时的加热功率。

11.4.3 锡槽各部位应设温度、压力检测装置。

11.4.4 保护气体系统应符合下列规定:

    1 氮氢保护气体系统应设压力、流量检测装置;

    2 氮氢混合气体应设氢气含量检测和报警装置;

    3 氮氢混合气体应设氮氢流量比例控制系统;

4 氮氢保护气体系统宜设氧含量、露点检测装置。

11.4.5 锡槽入口处可设玻璃带宽度监控系统。

11.4.6 拉边机的控制系统设计应采用同步精度和稳速精度高的方案。

11.4.7 成形系统的拉边机布置区域应设工业电视监视,其他区域可设置闭路电视监视装置。

11.4.8 成形系统应设锡槽冷却风机停车、玻璃带断板、成形设备冷却水断水的报警装置。

11.5 退火系统的检测和控制

11.5.1 退火窑应按工艺要求设置若干温度控制区,各温控区的加热、冷却应采用自动控制,各区温度均应显示并应有记录。

11.5.2 退火窑 A 区、B 区退火段的中部和边部宜设玻璃带表面温度的检测装置。

11.5.3 退火窑主传动控制方案应满足调速范围、调速精度及备用传动自动投入等要求。

11.5.4 中央控制室内应设退火窑主传动速度给定装置和实际工作线速度显示。

11.5.5 退火窑的主传动、冷却风机和重要温度检测点应设事故报警装置。

11.6 冷端系统的控制

11.6.1 冷端主控制系统应采用可编程控制系统(PLC)控制系统。冷端主控制系统应具备通信功能,可与冷端各子系统及中央控制系统进行通信。

11.6.2 冷端控制系统应符合下列规定:

1 冷端控制系统应配置全线输送调度系统,宜配置优化切割系统;

2 冷端控制系统应按功能区设置远程从站进行控制,并应由

主控可编程控制系统(PLC)统一协调;

3 支线分片堆垛区控制系统应采用独立可编程控制系统(独立 PLC),并应能与主线可编程控制系统(主线 PLC)进行通信。

11.6.3 冷端生产线主控可编程控制系统(主控 PLC)在设备沿线应设置各区的工作方式、转换开关、急停按钮和操作按钮等。

11.6.4 冷端各区的单机设备应设置独立控制系统,控制室或现场宜设置一个或多个人机界面,并应采用触摸屏或工控机。

11.6.5 切割机宜采用可满足不同规格玻璃切割要求的伺服控制系统,并宜与缺陷检测仪和线控实时通信。

11.7 辅助生产系统的检测和控制

11.7.1 辅助生产系统应独立设置检测和控制。

11.7.2 辅助生产系统检测和控制可采用数字式仪表。工艺参数较多时,宜采用计算机控制系统,并应预留通用标准开放网络通信接口。

11.7.3 辅助生产系统其他控制及检测装置可按浮法联合车间主生产系统选用。

11.8 仪表用电源和气源

11.8.1 仪表用电源应符合下列规定:

1 自动化控制系统电源应安全可靠并应由两回路电源供电,电源的技术参数应满足仪表及控制装置要求;

2 计算机监控装置应设不间断电源,不间断电源供电延续时间不应小于 30min;

3 2 台及以上盘柜拼装时,内部控制用 220V 交流电源应采用相同相位。

11.8.2 自动化仪表用压缩空气质量应符合现行国家标准《工业自动化仪表 气源压力范围和质量》GB/T 4830 的有关规定。

11.9 控 制 室

11.9.1 配料系统宜在原料车间单独设置控制室。

11.9.2 熔窑、锡槽、退火窑三大热工设备宜集中设置中央控制室进行统一操作管理。

11.9.3 冷端系统应分别设置切割掰板区控制室和分片堆垛区控制室。

11.9.4 控制室位置应方便设备操作和管理,并应避开电磁干扰源、尘源和振动源等的影响。

11.9.5 控制室应有防尘、防火、防水、隔声、隔热和通风等设施。控制室面积应满足设备安装、操作和检修等要求,室内不应有无关的管道通过,并应根据设备要求设计空气调节装置。

11.9.6 中央控制室面向主设备的一方,宜设大面积中空玻璃观察窗。中央控制室净空高度宜为 2.8m～3.5m,并应铺设防静电活动地板,地板与地面高度宜为 250mm～350mm。

11.9.7 控制室内盘、台前后的工作场地应满足操作、检修的要求,盘、台不应跨在厂房的变形缝上。

12 给水与排水

12.1 一般规定

12.1.1 供水水源应结合生产、生活及消防要求综合确定,宜采用多水源供水。

12.1.2 厂区给排水管网设计应符合供水可靠、管线短、便于施工、合理利用现有设施的原则。

12.1.3 污水处理应符合本规范第17.3节的有关规定。

12.2 给 水

12.2.1 生产给水应符合下列规定:

1 生产给水不得间断,并应满足用水设备的水量、水质、水压和水温要求。

2 生产给水水质主要指标应符合表12.2.1的规定。

表 12.2.1 生产给水水质主要指标

项　目	指　标
pH 值	6.5～8.5
总硬度(以碳酸钙计)	＜450mg/l
浑浊度	＜3.0mg/l
铁	＜0.3mg/l
有机物	＜25.0mg/l
油	＜1.0mg/l

3 用水设备有特殊要求时,应采取相应的水处理措施。

4 对生产时仅水温升高、无污染的设备冷却水和各类冷却器用水应回收冷却后循环使用。

5 外供水源的水压不宜小于 0.25MPa,当水压小于

0.25MPa 时,厂内应设置增压设施。

 6 采用城市自来水作为生产供水水源时,应符合现行国家标准《建筑给水排水设计规范》GB 50015 的有关规定。

12.2.2 厂区生活用水管道不得与自备的生产用水水源供水管道直接连接。

12.2.3 给水管网设计应符合下列规定:

 1 给水干线应根据用水量大、要求供水可靠度高的浮法联合车间等主要用水场所确定,并应设计成环状管网;

 2 给水管线上应设置阀门,当关闭阀门检修局部管线时,主车间不应中断给水;

 3 厂区消防给水的设计应符合现行国家标准《建筑设计防火规范》GB 50016 和《消防给水及消火栓系统技术规范》GB 50974 的有关规定。

12.2.4 循环水系统应符合下列规定:

 1 厂区循环水冷却设施应根据生产工艺对循环水水量、水温、水质和供水系统运行方式要求确定,并宜采用闭式循环冷却系统;

 2 循环给水系统应满足浮法联合车间、氮气站、氢气站、压缩空气站等生产设备的冷却用水要求;

 3 循环给水系统应采用多水源的方案,并应确保当正常水源中断时,备用水源或备用进户管能保障供水;

 4 循环水系统应设置流量、压力检测装置,检测信号应能就地显示,并应传至控制室;

 5 循环水管道上宜设水质动态监控接口、化学处理循环水水质稳定装置;

 6 循环水系统补充水量应以敞开式不小于循环水总量的 4%、密闭式不小于循环水总量的 2% 计算;

 7 循环水系统水质应满足生产设备要求,并应进行水质软化处理;

8 循环水系统宜设置全过滤水处理装置,当设置旁滤水处理装置时,旁流过滤水量可按循环水量的 3%～5% 确定;

9 循环水系统宜设置循环水池和水塔,两者的总容量可按 1.0h～2.0h 的循环水量计算;

10 循环水塔的容量不宜少于 0.5h 的循环水用水量,水塔高度宜满足使用水压的要求;

11 循环水泵应有备用,备用泵宜设柴油机拖动水泵,电机功率大于 30kW 时应采取变频调速措施;

12 循环水泵房的布置宜靠近浮法联合车间,并宜采用地上布置;

13 循环水给水送至主要车间进口处的压力宜为 0.3MPa～0.5MPa;

14 循环给水管宜为枝状管网,设专用管道直通用水车间,循环水管道上的阀门和配件压力等级应满足管道试压要求,且不应小于 1.6MPa。

12.3 排　水

12.3.1 排水管网应满足排放要求,并应根据排水条件及地形等因素选择合理的排水制度。

12.3.2 生产废水、生活污水与雨水排水系统应符合排水工程总体规划,并宜采用分流制。生活粪便污水应经化粪池处理后再排入合流制排水系统。

12.3.3 车间的生产排水、车间与堆场地坪冲洗水应在排出口处设置沉砂池。

12.3.4 油罐区排水应在防火堤外设置油水分离池或油水分离装置,除油后排入厂区排水系统。在进出油水分离池的排水管道上应设水封井。油罐区雨水管道排水应在防火堤外设置隔断装置及水封井。

12.3.5 发生炉煤气站的含酚废水必须密闭循环,不得向外排放。

12.3.6 氨分解制氢出现事故时的废氨液和化验室化验分析排放的废酸、废碱液应采取中和措施,废液的 pH 值为 6～9 时方可排放。

13 余热利用

13.1 一般规定

13.1.1 生产工艺系统和建筑物内冷热源应优先利用玻璃熔窑烟气余热。

13.1.2 玻璃熔窑烟气余热蒸汽量达到余热发电要求时,宜用于余热发电。

13.1.3 当余热产生的蒸汽超过全厂生产和生活需要但又不足以发电时,可利用蒸汽拖动空气压缩机、水泵等设备。

13.1.4 余热产生的蒸汽可作为动力源,选用溴化锂机组集中供冷。

13.1.5 熔窑、退火窑排出的热风可用于熔窑助燃风或用于供暖、原料烘干。

13.2 生活、生产类余热设备

13.2.1 余热利用系统的热工计算参数应根据玻璃熔窑及烟道的热工条件确定,当进入锅炉的熔窑烟气温度不低于 350℃时,锅炉入口的烟气过量空气系数可根据窑炉燃料种类、烟道结构适当选取。

13.2.2 余热锅炉与引风机的选型应符合下列规定:

    1 熔窑烟气应全部通过,当熔窑烟囱高度受条件限制,熔窑烟气又需全部通过时,余热锅炉和引风机应有备用,且均应保证熔窑后期的安全运行;

    2 余热锅炉宜选用烟管式或热管式;

    3 引风机选型时,风量宜取 10%～15%、风压应有 20%～30%的富余量,独立运行的引风机宜取小值,并联运行的引风机宜取大值；

    4 引风机的电动机应采用变频控制。

13.2.3 余热锅炉与引风机的工艺设备布置应符合下列规定：

    1 余热锅炉房可采用单层或双层布置，引风机宜布置在一层。

    2 余热锅炉与引风机宜按一炉一机配置。

    3 余热锅炉应采取下列措施：

        1）锅炉进口前的烟道宜布置在地下，并应有防止地下水进入烟道内的措施；

        2）锅炉进口前的烟道应加保温层，整个烟道应密封；

        3）锅炉前烟道闸板宜选用气密性好的闸板。

    4 当烟气部分通过锅炉时，应在主烟囱内设置隔墙，隔墙高度应将高低温烟气分隔。

    5 数台引风机出口处共用1个烟道时，每台引风机出口处应设关断闸板。

    6 锅炉进出口烟道上应设清灰门，引风机进口处宜设进风箱。

13.2.4 烟管式余热锅炉烟灰清扫宜采用过热蒸汽吹扫或用钢丝刷清除，不得用清水冲刷。

13.2.5 余热锅炉房（燃油、燃气锅炉房）设计应符合现行国家标准《锅炉房设计规范》GB 50041 的有关规定。

13.3 发电类余热设备

13.3.1 每座熔窑应选用1台管屏式余热锅炉，每台锅炉应配2台锅炉引风机。锅炉应适应玻璃熔窑的烟气特性，并应有在线清灰设施。

13.3.2 玻璃工艺生产需要部分蒸汽时，应选用抽凝式汽轮机。

13.3.3 化学水处理及冷凝水设施应符合现行国家标准《小型火力发电厂设计规范》GB 50049 的有关规定。

14 采暖、通风、除尘、空气调节

14.1 一般规定

14.1.1 采暖、通风、除尘、空气调节设计应符合现行国家标准《工业建筑供暖通风与空气调节设计规范》GB 50019 和《平板玻璃工业大气污染物排放标准》GB 26453 的有关规定。

14.1.2 采暖、通风、除尘、空气调节设计方案应根据生产工艺特性、建筑物功能、室内外环境、气象条件、能源状况等,经技术经济比较后确定。

14.1.3 高温生产及含易燃、易爆气体的作业区,应根据各专业要求,采取节能的通风降温措施。

14.1.4 粉尘散发源应采用密闭措施和除尘设施。

14.2 采 暖

14.2.1 采暖设计应符合下列规定:

 1 集中采暖的厂房工作点和辅助用室的室内采暖计算温度应按本规范附录 C 确定;

 2 非工艺生产场所室外采暖计算温度应符合现行国家标准《民用建筑供暖通风与空气调节设计规范》GB 50736 的有关规定;

 3 工艺要求场所室外采暖计算温度应保证正常生产最低温度要求,并应根据历年极端最低温度的平均值选取合适的计算参数。

14.2.2 采暖热媒应符合下列规定:

 1 主要及辅助生产用房的采暖热媒宜采用 0.2MPa 的高压蒸汽或供水温度不低于 80℃的热水,供回水温差不宜小于 20℃;

 2 生产辅助用室及生活建筑的采暖热媒应采用不高于 85℃的热水,供回水温差不宜小于 20℃;

3 退火窑热风可利用时,宜将热风余热用于供暖;

4 远离厂区热力网的小面积单体建筑物,在满足安全的前提下可采用电能采暖。

14.2.3 采暖方式应符合下列规定:

1 生产厂房、辅助用室、可能受冻损伤的建(构)筑物及对环境温度有要求的场所均宜设置集中采暖;

2 在非采暖地区,根据气候条件和生产工艺要求,对需提高室温的部位宜设局部采暖;

3 寒冷地区采暖对环境温度有要求的场所,在所设置的散热器系统不能满足要求时,宜设置热风采暖系统作为补充。热风采暖系统的热媒宜采用 0.1MPa~0.3MPa 的高压蒸汽或不低于 90℃ 的热水;

4 氢气站、各种燃料供配站、燃料库、危险品库不得采用煤气红外线辐射采暖、电热采暖及其他明火采暖装置;

5 严寒地区独立的生产辅助用室,当蒸汽采暖系统的凝结水不回收且排往室外有冻结产生时,宜接入车间排水系统。

14.2.4 散热器选型应符合下列规定:

1 原料车间、均化库等粉尘大或防尘要求高的部位应选用易于清扫的散热器;

2 具有腐蚀性气体或相对湿度较大的房间宜选用铸铁散热器。

14.3 通　风

14.3.1 建筑设计除自然通风外,有防毒、防尘和通风换气要求时,应设机械通风。机械通风换气次数应符合本规范表 D.0.1 的规定。

14.3.2 生产过程中有可能突然放散大量有害气体或有爆炸危险气体的场所应设置事故通风装置,并应符合下列规定:

1 事故排风的吸风口应设在有害气体或爆炸危险物质放散

量大的地点；

　　2　事故排风的排风口不应布置在人员经常停留或经常通行的地点；

　　3　事故通风机的电器开关应分别设置在室内外便于操作的位置；

　　4　事故通风场所和排风量应符合本规范表 D.0.2 的换气次数规定。

14.3.3　当熔窑、锡槽、退火窑进行局部热修时,宜设置移动式轴流风机进行局部降温,轴流通风机的叶片及吹风角度应能调节。

14.3.4　发生炉煤气站主厂房操作层宜设置移动式轴流通风机降温。

14.4　除　　尘

14.4.1　原料车间上料、配料、混合系统,联合车间的窑头料仓、碎玻璃系统生产操作区,空气中生产性粉尘的最高允许浓度应符合本规范附录 E 的规定。

14.4.2　生产过程中产生粉尘的设备及物料溜管应密闭,并宜设置除尘吸风口。

14.4.3　未密闭的倒料口、切磨耐火材料的扬尘点,应采取湿法防尘或设置半封闭式并辅有吸尘装置的罩、帘等装置。

14.4.4　粉尘污染区的仪表控制室应密闭防尘,并宜保持室内微正压。对有岗位工的染尘生产场所,应设密闭防尘值班室。

14.4.5　产生粉尘的生产场所地面应用水冲洗。纯碱、芒硝系统及熔化工段投料平台等生产场所不得用水冲洗。

14.4.6　除尘器宜布置在除尘系统的负压段,当布置在除尘系统的正压段时,应采用除尘风机。

14.4.7　净化有爆炸危险的煤粉尘时,所设置的除尘、过滤器及管道等均应设置泄爆装置,设备和管道均应采取防静电接地措施,设备应采用防爆型,干式除尘器和过滤器应布置在系统负压段上。

14.4.8 散发粉尘的煤吊车库、原料吊车库,宜选用司机室内配备密闭和过滤送风装置的吊车。

14.4.9 连续生产线上的除尘系统应与相关的工艺设备联动。

14.4.10 除尘系统选择宜符合下列规定:

    1 同一生产流程中扬尘点相距不远时,宜设置集中式机械除尘系统,分散的扬尘点宜设置分散式机械除尘系统;

    2 粉尘种类不同的扬尘点宜分别设置机械除尘系统;

    3 机械除尘系统宜选用袋式除尘器;

    4 对于纯碱等黏性、易结露的粉料,不宜采用过滤材料皱褶多、不易清灰的除尘器。

14.4.11 除尘管道设计应符合下列规定:

    1 除尘管道宜垂直或倾斜敷设,较小倾斜度或水平敷设时,应在风道的端部、侧面或异形管件附近装设风管清扫孔,并应提高管道风速;

    2 除尘管道布置应减少使用弯管、三通管、变径管等部件;

    3 除尘管道上应在便于操作及观察的部位设置风量调节和检测装置;

    4 除尘系统的排风管出口高度应符合现行国家标准《平板玻璃工业大气污染物排放标准》GB 26453 的有关规定。

14.4.12 除尘器回收粉尘处理应符合下列规定:

    1 当收集的粉尘在工艺生产允许纳入到工艺流程时,应将粉尘直接回收到工艺流程中,并应采取防止二次扬尘的措施;

    2 当收集的粉尘不允许直接纳入到工艺流程中或纳入有困难时,应设储灰斗及相应的搬运设备。

14.4.13 煤堆场、碎玻璃堆场等处产生的无组织粉尘,宜采用雾化降尘。

14.5 空气调节

14.5.1 空气调节系统室内参数应根据工艺生产要求,兼顾建筑物的用途、规模、使用特点、气象条件、负荷变化等因素综合确定。

14.5.2 空气调节系统形式应根据建筑物布置、使用特点、空调设备布置、有无能源利用,以及投资和运行费用综合确定。

14.5.3 原料车间、联合车间及辅助生产设施的控制室应设置空气调节,夏季空调室内设计参数宜取温度(26±2)℃、相对湿度50%~80%,同时还应满足特殊仪表设备对空气调节及使用环境的要求。

14.5.4 控制室空气调节系统宜选用分体柜式空调机组、四面出风嵌入式空调机。

15 建筑与结构

15.1 一般规定

15.1.1 建筑与结构设计应根据地区和厂区特点,按城市规划要求,经技术经济比较确定,并应采用建筑模数制和标准构配件。

15.1.2 建筑与结构设计应处理好车间高温、防火、设备振动、防尘、防腐蚀、地下防水及地基不均匀沉降等要求。

15.1.3 建筑与结构布置应符合现行国家标准《建筑设计防火规范》GB 50016 的有关规定。

15.1.4 建(构)筑物的安全等级应根据结构破坏后果的严重性,按表 15.1.4 的规定执行。

表 15.1.4　建(构)筑物的安全等级

安全等级	破坏后果	建(构)筑物名称
二级	严重	三级以外的建(构)筑物
三级	不严重	碎玻璃堆场、堆棚、地磅房、车棚、厕所、围墙

15.1.5 建(构)筑物抗震设防的分类应按使用功能、生产规模、停产后经济损失和修复难易程度等因素划分,并应符合表 15.1.5 的规定。

表 15.1.5　建(构)筑物的抗震设防分类表

抗震设防类别	建(构)筑物名称
重点设防类	天然气配气站、油泵间、变电所、氮气站、氢气站、氧气站、循环水泵房、窑底及锡槽支承结构
标准设防类	表中重点设防类和适度设防类以外的建(构)筑物
适度设防类	碎玻璃堆场、堆棚、地磅房、车棚、厕所、围墙

15.1.6 改、扩建工程的建筑与结构设计应符合下列规定:

　　1 应查清原有建筑结构及地下管沟、电缆等设施现状;

2 应查清原有设计、施工资料及结构的实际承载能力等,合理利用原有建筑物;

3 对加固改造方案,应做到新老结构相结合。

15.1.7 全厂各建筑物的设计荷载涉及生产操作的部分应按本规范附录 F 选用,当有特殊要求时应按工艺设计要求确定。

15.2 主 要 车 间

15.2.1 主要车间建筑与结构布置应符合下列规定:

1 原料车间应符合下列规定:

1)原料储库、挡料墙、粉料仓、破碎间、混合房等原料车间的主要建(构)筑物,应视地基条件和荷载分布采用变形缝分开,并应计入大面积堆载对周围基础的影响;

2)应合理选择设备支承结构的抗振刚度,使支承结构的振幅和振动加速度限制在允许范围内,对于振动较大的设备应采用与厂房脱开的独立支承,当难以脱开时应采取减振措施;

3)原料车间应对有噪声源的部位进行隔离,因生产流程难以分隔的部位,应单独设置封闭的操作控制室或值班室,并对其墙面和门窗采取吸声、隔声措施;

4)原料车间应有一个楼梯贯通车间上下。

2 浮法联合车间应符合下列规定:

1)浮法联合车间厂房布置应符合本规范第 5.2.1 条的规定;

2)浮法联合车间各主要部分应结合工艺设备布置设置伸缩缝或沉降缝;

3)熔化工段、成形工段厂房应与窑炉和锡槽支承结构完全脱开;

4)熔化工段厂房柱网布置应满足生产操作要求,宜满足熔窑冷修或热修时搬运和砌筑操作空间要求;

5）熔化工段屋架下弦至窑碹顶面距离不得小于 4m，屋面应设供窑体散热的排热天窗；

6）成形工段应设排热天窗；

7）当熔化工段底层为地下室方案时，应设地下排水和通风设施；

8）退火窑支承的基础或楼板宜结合设备布设伸缩缝，并宜适当增加抗温度应力配筋，当采用其他不设伸缩缝措施时，应针对退火窑基础或楼板的应力和变形作特殊处理；

9）成形工段、退火工段主车间两侧布置辅房时，车间外墙应留侧窗。

15.2.2 原料车间建筑与结构应符合下列规定：

1 原料车间主要厂房宜采用钢筋混凝土结构，大跨度屋盖宜采用钢结构；

2 储料库、均化库构造应根据工艺设备要求确定，挡料墙墙体构造应能经受吊车抓料斗的撞击；

3 储料库内卸料坑及硅砂储库底部均应有渗排水措施；

4 粉料库根据工艺要求可采用矩形排库、塔库或圆筒仓，库壁宜采用钢筋混凝土结构，仓斗应用钢结构，当仓斗底部悬挂有振动给料装置时，应根据设备性能采取减振措施；

5 附着在建（构）筑物外面的斗式提升机，机身及所属走道、平台均应计算风荷载值，应与建（构）筑物有可靠的连接；

6 原料车间内应减少表面突出易集尘构件；

7 楼地面、墙面应便于用水冲洗，冲洗水应排至地漏、水沟，孔洞边缘均应做泛水翻沿；

8 有集聚碱性粉尘的楼地面及屋面应做防腐蚀处理。

15.2.3 浮法联合车间建筑与结构应符合下列规定：

1 梁、柱宜用钢筋混凝土或钢结构的框、排架结构。

2 楼面应采用钢筋混凝土结构或钢梁混凝土板组合结构。

3 屋面可用钢结构,熔化及成形工段屋面宜采用轻质、防水性能好、耐高温、耐腐蚀材料。

4 根据生产操作条件,应设置楼面限载标志。

5 熔窑、锡槽底的支承结构设计应符合下列规定:

    1) 窑底结构设计除计入重力荷载和地震荷载作用外,同时应考虑窑体高温对窑底结构的影响;

    2) 窑底紧靠地下高温烟道柱、基础材料,应根据地下温度的分布选择,并应采用地下隔热、通风等降温措施。

6 熔化工段受窑体明火作用的结构构件,表面应做隔热防护,地下烟道底板及受高温直接作用的烟道闸板支架,应采取采用耐热混凝土等隔热措施。

15.3 辅 助 车 间

15.3.1 天然气站建筑结构形式应采用敞开式或半敞开式。

15.3.2 氮气站的压缩工段宜做吸声处理,控制室应隔声,空气压缩机的设备基础应按振动基础设计。空分塔、氨分解制氢站的液氨罐基础和废液氨池应采取抗冻措施。

15.3.3 厂区卸油沟、零位油罐应作耐油、耐酸、防渗及因油温引起的温度应力的构造处理。

15.3.4 余热锅炉房的引风机基础应能抵御风机运转时的振动,当引风机置于楼面时应做隔振设计。控制室值班室应做隔声处理。

15.4 构 筑 物

15.4.1 熔窑烟囱应符合下列规定:

1 烟囱宜选用钢筋混凝土结构;

2 烟囱内衬应全高设置,并应设带填料的防腐隔热层;

3 当烟囱内设分隔墙时,隔墙高度不宜超过烟囱第一节,且不宜高于15m,否则应对隔墙稳定及烟囱筒壁的温度应力进行特殊设计；

4 烟囱埋入地下部分应在烟囱壁外设计通风散热构造；

5 烟气采取脱硫处理时,烟囱内衬、分隔墙应采用耐酸砖和耐酸砂浆砌筑,烟囱底部应做防腐处理,并应设置收集脱硫后排出酸液的设施；

6 当熔化工段底层采用地下室方案时,垂直烟道与厂房结构之间应做隔热隔胀防护设计。

15.4.2 单体筒仓宜采用圆形或方形,竖壁宜为钢筋混凝土结构,下部仓斗宜为钢结构。当单体筒仓平面尺寸不大于 $5m×5m$、竖壁高不超过 5m、仓斗不附振动设备时,可采用无肋钢仓斗。

15.4.3 玻璃水池和玻璃水沟应符合下列规定：

1 玻璃水沟顶部与厂房楼面之间应有可靠的隔热措施；

2 玻璃水池紧靠熔化部厂房时,厂房柱基础的埋置深度应处理与相邻玻璃水池深度的关系,并应避免玻璃水池高温影响；

3 采取水淬法放玻璃水时,应对紧靠玻璃水沟和水淬场地附近的建筑与结构进行防护处理。

15.4.4 水塔应符合下列规定：

1 水塔宜选用钢筋混凝土倒锥壳支筒式结构；

2 钢筋混凝土倒锥壳的支筒直径不宜小于 2.0m,容量大于 $100m^3$ 的倒锥壳的支筒直径不宜小于 2.4m；

3 水塔的基础形式可采用钢筋混凝土板式,不保温水塔的基础埋深不应小于 2.0m,保温水塔的基础埋深不应小于 2.5m。

15.5 特殊地基及防排水处理

15.5.1 特殊地质条件下的地基基础,除应符合现行国家标准《建筑地基基础设计规范》GB 50007 的有关规定外,还应满足其他专门设计标准的要求。

15.5.2 湿陷性黄土、膨胀土、高寒地区冻胀土条件下,对于受窑底烟道高温、玻璃液高温作用的窑底支承结构、玻璃水池、循环水池等构筑物的基础均应采取隔热、防漏水、防冻胀构造措施。

15.5.3 当熔窑烟道底板、大型地坑底板处于地下水或地表滞水最高水位以下时,应采取防水措施或结合厂区排水管网布置渗排水设施。

16 其他生产设施

16.1 中心实验室

16.1.1 中心实验室设施应根据生产规模、产品质量检测数目、检测装备等确定。中心实验室应能对原料、燃料、配合料和玻璃成品等做物理检测与化学分析。

16.1.2 中心实验室仪器、仪表选择应根据检测项目、检测方法、检测精度配置。

16.1.3 中心实验室应设化学分析室、物理检验室、试样加工室、药品与仪器储藏室。

16.2 维修车间

16.2.1 机电设备及仪表修理车间的规模与装备水平,应根据企业生产规模、当地机电设备、仪表修理的协作条件等因素综合确定,应能承担机电设备中小修理,以及仪器、仪表小修理与维护。

16.2.2 维修车间外可设有露天作业场所和物料堆场。

16.3 集装器具的维修

16.3.1 工厂可设置集装架储库、维修场地及相应的运输维修设备,可与机电设备及仪表修理车间统一设计。

16.3.2 集装架的使用、验收应符合现行国家标准《平板玻璃集装器具 架式集装器及其试验方法》GB/T 6382.1 的有关规定。

17 环 境 保 护

17.1 一 般 规 定

17.1.1 工厂各类污染物的排放应符合排放标准,并应符合环境容量和排放总量的要求。

17.1.2 环境保护设计应按国家规定的设计程序进行,防治污染设施应与主体工程同时设计、同时施工、同时投入使用。

17.1.3 环境保护设计应根据环境影响评价文件及其审批意见采取有效措施,防治废气、废水、固体废弃物及噪声对环境的污染。

17.1.4 改、扩建工程应实施"以新代老"环境保护措施,新老厂应统一规划、综合治理。

17.2 大气污染防治

17.2.1 厂址应选择在大气扩散稀释能力较强的地区,并应根据自然条件选择有利于烟囱废气的排放和扩散的设计方案。

17.2.2 新建、扩建或改建项目与居住区之间的大气环境防护距离应符合项目环境影响评价文件的要求。

17.2.3 熔窑烟囱废气的排放应符合现行国家标准《平板玻璃工业大气污染物排放标准》GB 26453 的有关规定,并应符合下列规定:

    1 烟囱废气污染防治措施应符合批准的环境影响报告书(表)的要求;

    2 熔窑宜通过改用其他澄清剂替代芒硝和采用清洁低硫燃料,烟囱废气的二氧化硫未达到国家和地方排放标准的应设置脱硫设施;

    3 熔窑宜采用纯氧燃烧、低氮燃烧器、分层燃烧等措施降低氮氧化物的产生,烟囱废气的氮氧化物未达到国家和地方排放标准的应设置脱硝装置；

    4 烟囱废气中的颗粒物、氯化氢（HCl）、氟化氢（HF）应达标排放；

    5 烟囱高度除应满足窑炉工艺要求外,还应根据环境影响评价结果确定。

17.3   废水污染防治

17.3.1 废水污染防治设计应符合下列规定：

    1 应贯彻清污分流、分质处理、节约用水、一水多用、中水回用的原则；

    2 排水系统应采用清污分流方式,生产废水、生活污水不应与雨水合流排放；

    3 生产废水和生活污水的管网宜分开布置。

17.3.2 污水排放水质应符合现行国家标准《污水综合排放标准》GB 8978 的有关规定。

17.3.3 湿法脱硫除尘产生的废水应循环使用。烟气脱硫废水宜采用中和、曝气、絮凝、沉淀处理工艺。

17.4   噪声污染防治

17.4.1 厂界噪声应符合现行国家标准《工业企业厂界环境噪声排放标准》GB 12348 的有关规定。

17.4.2 噪声控制设计应符合现行国家标准《工业企业噪声控制设计规范》GB/T 50087 的有关规定。

17.4.3 噪声控制应通过选用低噪声设备控制噪声源。超过许可标准时,还应根据噪声性质采取消声、建筑隔断、隔声、减振等防治措施。

17.5   固体废弃物污染防治

17.5.1 固体废弃物应回收和综合利用。

17.5.2 碎玻璃应全部回收利用。

17.5.3 熔窑冷热修更换的废耐火砖宜利用,不能利用时应统一处理。

17.5.4 含铬耐火砖在厂内临时储存时,应符合现行国家标准《危险废物贮存污染控制标准》GB 18597 的有关规定。

17.6 环 境 监 测

17.6.1 工厂环境监测站(组)可布置在化验室,也可单独布置,并应配备监测仪器。

17.6.2 监测采样点应合理布置,烟囱应设置永久采样点、监测孔和采样监测用平台。废水排水应实行计量,废水排放计量装置设置应结合水质监测取样点确定,废水排放口应设置永久采样点。各排污口应符合设计要求。

17.6.3 废气采样点及采样孔的布置应符合国家现行标准《固定污染源排气中颗粒物测定与气态污染物采样方法》GB/T 16157、《固定源废气监测技术规范》HJ/T 397 和《固定污染源烟气排放连续监测技术规范》HJ/T 75 的有关规定,废水采样点布置应符合现行国家标准《污水综合排放标准》GB 8978 的有关规定。

18 节　　能

18.1　一　般　规　定

18.1.1　工厂节能设计应提高能源利用效率,并应符合现行国家标准《平板玻璃工厂节能设计规范》GB 50527 的有关规定。

18.1.2　工厂设计应根据节能评估文件和节能审查意见的要求,并应符合现行国家标准《平板玻璃工厂节能设计规范》GB 50527 的有关规定。

18.1.3　生产工艺过程及建筑物需要冷源、热源时,应优先利用工厂余热。

18.1.4　节能设计应配备计量装置,对能源输配和消耗环节实施集中动态监控和数字化管理。

18.2　生产过程节能

18.2.1　在满足生产工艺要求的前提下,工序之间应缩短运输距离。

18.2.2　在综合性价比相同的条件下,应优先选用性能先进、能耗低、可靠耐用的工艺设备。

18.2.3　熔化系统节能设计应符合下列规定:

　　1　在满足生产工艺、生产规模的前提下,应采用节能型熔窑结构;

　　2　熔窑应全保温,并宜配置优质保温材料;

　　3　熔窑宜选用全氧助燃、全氧燃烧、辅助电加热、鼓泡等节能技术;

　　4　熔窑助燃风机和池壁冷却风机应采用变频调速;

　　5　熔窑用冷却水应循环利用。

18.2.4 成形系统节能设计应符合下列规定：

    1 电加热元件宜采用三相硅碳棒，并应合理布置；

    2 锡槽长宽比尺寸应合理，锡槽应具有良好的密封性；

    3 流道、锡槽、密封箱和拉边机设备应有保温措施；

    4 锡槽的冷却风机宜采用变频调速。

18.2.5 退火窑节能设计应符合下列规定：

    1 退火窑应根据玻璃特性确定各区长度、合理配置电加热功率及风机大小；

    2 退火窑壳体外表面温度应符合现行行业标准《浮法玻璃退火窑》JC/T 604 的有关规定；

    3 退火窑内的加热和冷却装置应合理布置；

    4 退火窑风系统的风机应采用变频调速；

    5 退火窑的辊道传动应采用变频调速。

18.3 电气及自动控制节能

18.3.1 电气及自动控制节能设计应符合下列规定：

    1 风机、水泵、压缩机等设备宜采用变频调速控制；

    2 调速电机应采用变频调速控制；

    3 容量较大、无调速要求的设备宜采用电机节电器、无功功率就地补偿装置；

    4 电气设备应合理选择电动机、变压器的容量，并应降低线路感抗。

18.3.2 热端检测中，控制系统、调节方式应采用节能降耗控制方案。

18.3.3 照明节能设计应符合下列规定：

    1 照明节能设计应充分利用自然光，并应采用绿色节能照明方式；

    2 车间、仓库及办公室等的照明应采用节能型灯具，灯具内宜设置电容补偿，功率因数不应低于 0.9；

3 在保证照明质量的前提下,应优先采用开启式灯具和分区、分组控制方式;

4 厂区路灯照明宜设置自动控制器,条件允许时,可使用太阳能路灯;

5 疏散指示灯、走廊灯等低照度灯具应采用 LED 光源。

18.3.4 电力电缆截面积宜按经济电流选择。

18.3.5 电气设计应控制各类非线性用电设备产生的谐波。

18.3.6 配电系统中的谐波电压和在公共连接点注入的谐波电流允许限值,应符合现行国家标准《电能质量 公用电网谐波》GB/T 14549 的有关规定。

18.4 总图与建筑的节能

18.4.1 厂区总平面布置应工艺流程合理、物流运输短捷,各类管网布局应紧凑。

18.4.2 车间建筑设计宜充分利用日照、天然采光、自然通风。

18.4.3 车间外围护墙体和屋面应根据当地气候特点采取保温隔热措施。熔化、成形车间宜设屋面通风器散热,同时应兼顾熔窑、锡槽冬季的保温。

18.4.4 库房屋顶宜设置太阳能光伏、光热利用系统。

18.5 辅助设施的节能

18.5.1 氮气站节能设计应符合下列规定:

1 氮气制取应采用深冷空气分离法,宜综合利用副产品氧气;

2 空分产品的制取方案应平衡全厂空分产品资源利用;

3 空气压缩机宜选用离心式压缩机或螺杆式压缩机,不宜选用能耗高的活塞式压缩机;

4 分馏塔、纯化器等设备和部分压缩空气管线应做好隔冷保温。

18.5.2 氢气站节能设计应符合下列规定：

1 耗电量大的制氢装置宜配置调峰装置；

2 制氢装置应按制氢工艺要求设置保温。

18.5.3 给排水节能设计应符合下列规定：

1 应采用节水、节能型产品，并应符合现行国家标准《节水型产品通用技术条件》GB/T 18870 的有关规定；

2 生产设备的冷却用水应采用循环给水系统；

3 厂区内宜设置雨水收集回用设施；

4 原料车间生产或车间浴室等的热水供应，应选用高效率换热器，热水管道应有保温措施。

18.5.4 重油油罐和重油管道应设置保温层。

18.5.5 采暖、通风和空气调节的节能应符合下列规定：

1 采暖地区应符合下列规定：

1)采暖热源宜利用工厂余热；

2)有采暖要求的多层建筑物应采用南北向分环布置；

3)严寒和寒冷地区建筑物内有水系统时，室内采暖设计温度不应低于5℃。

2 通风、除尘和空气调节设计应符合下列规定：

1)通风与除尘风机应选节能型风机，除尘器宜选用节能型除尘器；

2)控制室空调系统应采用节能产品。

18.5.6 热工设备的废气余热资源应综合利用，并应符合本规范第 13 章的规定。

18.6 能源计量器具

18.6.1 能源计量范围应包括下列内容：

1 输入用能单位、次级用能单位和用能设备的能源及耗能工质；

2 输出用能单位、次级用能单位和用能设备的能源及耗能工质；

　　3 用能单位、次级用能单位和用能设备使用（消耗）的能源及耗能工质；

　　4 用能单位、次级用能单位和用能设备自产的能源及耗能工质；

　　5 用能单位、次级用能单位和用能设备可回收利用的余能资源。

18.6.2 能源计量器具配备应符合下列规定：

　　1 应满足能源分类计量要求；

　　2 应满足用能单位实现能源分级分项考核的要求；

　　3 能源计量器具的配备、管理应符合现行国家标准《用能单位能源计量器具配备和管理通则》GB 17167 的有关规定；

　　4 压缩空气、氮气、氢气等耗能工质应做到工厂、车间、重点耗能设备三级计量，水、电、蒸汽、燃料应分别计量；

　　5 循环冷却水系统计量仪表设置应符合现行国家标准《工业循环冷却水处理设计规范》GB 50050 的有关规定。

19 职业健康安全

19.1 一般规定

19.1.1 职业健康安全的技术措施和设施应与主体工程同时设计、同时施工、同时投入使用。

19.1.2 工厂设计应提高生产综合机械化和自动化程度，并应采取相应的技术措施。对生产过程的职业危害因素，应遵循消除、预防、减弱、隔离、联锁、警告的原则，改善劳动条件，实行安全、文明生产。

19.1.3 工厂设计对危及人身安全的环节应设置报警装置和防护设施。

19.1.4 工厂消防设施、可燃气体报警装置、紧急切断按钮、安全通道、太平门等安全设施的着色应符合现行国家标准《安全色》GB 2893 的有关规定。

19.1.5 管道着色和符号应符合现行国家标准《工业管道的基本识别色、识别符号和安全标识》GB 7231 的有关规定。

19.1.6 压力容器和压力管道设计应符合现行国家标准《压力管道规范 工业管道》GB/T 20801、《工业金属管道设计规范》GB 50316 和《压力容器》GB 150 的有关规定。

19.2 防火、防爆

19.2.1 各车间、储罐区（易燃油品或可燃气体）等附属设施布置和防火间距，应符合现行国家标准《建筑设计防火规范》GB 50016 的有关规定。

19.2.2 发生炉煤气站设备安全应符合现行国家标准《发生炉煤气站设计规范》GB 50195 的有关规定。

19.2.3 制氢系统各建筑物防火防爆设计,应符合现行国家标准《建筑设计防火规范》GB 50016、《氢气站设计规范》GB 50177 和《氢气使用安全技术规程》GB 4962 的有关规定。

19.2.4 氮氢保护气体配气室、燃气配气室应紧靠浮法联合车间的外墙毗邻布置,并应采取防火及防爆的分隔措施。

19.2.5 储油罐、储气罐应根据油、气的特性设置温度、压力、限位报警及紧急切断(放空)装置。

19.2.6 燃油、燃气储罐及输送管道均应有良好的接地,并应符合现行国家标准《氢气站设计规范》GB 50177 和《液体石油产品静电安全规程》GB 13348 的有关规定。

19.2.7 电力装置的防火防爆设计应符合现行国家标准《爆炸危险环境电力装置设计规范》GB 50058 的有关规定。

19.2.8 建(构)筑物消防设计应符合现行国家标准《建筑设计防火规范》GB 50016 和《建筑灭火器配置设计规范》GB 50140 的有关规定。

19.2.9 有爆炸危险性气体的场所,应设置可爆气体的监测、报警装置及防爆泄压设施。

19.3 防电、防雷

19.3.1 防雷、接地和电气安全设计应符合本规范第 10 章的规定。

19.3.2 户外天然气管道、燃油输送管道、煤气管道和氢气管道等可燃介质管道,应在管道的始端、终端、分支处、转角处及直线部分每隔 25m 处设置接地装置,每处接地电阻不应大于 10Ω。弯头、阀门、法兰盘等管道的连接点应用金属线跨接。

19.3.3 防静电设计应符合现行国家标准《防止静电事故通用导则》GB 12158 的有关规定,管道应设防静电接地。

19.3.4 潮湿场所(或移动式)电器设备供电线路应在电控柜内装设剩余电流动作保护器。

19.3.5 室外堆场的电路布线应有防晒、防冻、防水、防雷击、防漏电等措施。

19.3.6 配电柜、电控柜应加锁保护。

19.3.7 中央控制室、变(配)电所、切裁堆装部位及车间内主要通道和出入口等处,应设事故安全照明。

19.3.8 每个建筑物应根据自身特点采取相应的等电位联结。同一建筑物电气系统的接地宜用同一接地网。

19.3.9 烟道、料仓、地坑等受限空间检修设备时,应采用 12V 照明灯具。

19.3.10 用电设备明显位置应设检修用的电源隔离开关或紧急情况时能切断主电源的紧急停车按钮。

19.4 防机械、玻璃伤害

19.4.1 玻璃生产设备的设计和安装,应符合现行国家标准《生产设备安全卫生设计总则》GB 5083 的有关规定。

19.4.2 起重机械设置的安全装置应符合现行国家标准《起重机械安全规程 第 1 部分:总则》GB 6067.1 的有关规定。

19.4.3 带式输送机的安全防护应符合本规范第 11.2.3 条的规定。

19.4.4 厂房内通道宽度应根据人行、配件的搬运及车辆运行等要求确定。固定设备或有封闭罩的运行设备旁的通道净宽不应小于 0.7m,运转机械旁的通道净宽不应小于 1m。

19.4.5 机械设备检修时,应有防止机械设备启动的安保措施。

19.4.6 浮法联合车间冷端系统的玻璃切割、掰边、成品堆垛处应设置安全防护设施,并应在收集碎玻璃的仓口处设置防碎玻璃飞溅的安全护板及防止人员坠落的格栅。

19.5 防尘、防有害气体和其他伤害

19.5.1 生产操作区空气中生产性粉尘的最高允许浓度应符合本

规范附录 E 的有关规定,其他有害气体或腐蚀性介质的防护措施应符合设计要求。

19.5.2 防尘及有害气体治理设计应符合本规范第 14.3 节及第 14.4 节的有关规定。

19.5.3 辐射源安全防护应符合现行国家标准《电离辐射防护与辐射源安全基本标准》GB 18871 的有关规定。

19.5.4 厂区内所有影响人员安全的地坑、孔洞、平台均应设置防护栏杆、护板,并应符合现行国家标准《固定式钢梯及平台安全要求》GB 4053 等的有关规定。栏杆底部不应设高度小于 100mm 的防护板。

19.5.5 高温设备和管道应进行隔热防护处理。

19.6 防暑降温及采暖防寒

19.6.1 防暑降温设计应符合国家对工业企业卫生设计的有关规定。

19.6.2 采暖、防寒设计应符合本规范第 14.2 节的有关规定。

19.7 噪声控制

19.7.1 厂区内各类地点噪声的声压级应为 A 声级。噪声限制值应符合本规范附录 G 的规定。

19.7.2 原料破碎、混合、泵,风机等高噪声区域应采用机械化、自动化工艺。

19.7.3 高噪声生产场所宜设置控制、监督、值班隔声室,高噪声设备宜布置在隔声的设备间内,隔声设备间宜与操作区隔开。

19.7.4 强烈振动设备之间应采用柔性连接,有强烈振动的管道与建(构)筑物、支架的连接不应采用刚性连接。

19.7.5 块状物料输送时,钢溜管、钢料仓、碎玻璃仓口钢板等物料均宜采取阻尼和隔声措施。

19.7.6 产生空气动力噪声的设备,在进气口或排气口处应设置消声器。

19.8 辅 助 用 房

19.8.1 平板玻璃工厂宜设置医务室和妇幼卫生用室。

19.8.2 原料车间应设员工更衣间及淋浴房,各车间卫生用室的设置应符合国家对工业企业卫生设计的有关规定。

附录 A 地下管道之间的间距要求

A.0.1 地下管线与建（构）筑物之间的最小水平净距应符合表A.0.1的规定。

表 A.0.1 地下管线与建（构）筑物之间的最小水平净距表

最小水平净距(m) 名称＼规格＼名称	给水管(mm)				排水管（沟）(mm)						热力沟（管）(mm)
					雨水管（沟）			生产及生活污水管（沟）			
	<75	75～150	200～400	>400	<800	800～1500	>1500	<300	400～600	>600	
建筑物、构筑物基础外缘	1.0	1.0	2.5	3.0	1.5	2.0	2.5	1.5	2.0	2.5	1.5
道路	0.8	0.8	1.0	1.0	0.8	1.0	1.0	0.8	0.8	1.0	0.8
管架基础外缘	0.8	0.8	1.0	1.0	0.8	0.8	1.2	0.8	1.0	1.2	0.8
照明、通信杆柱（中心）	0.5	0.5	0.5	0.5	0.5	0.5	0.5	0.5	0.5	0.5	0.5
围墙基础外缘	1.0	1.0	1.0	1.0	1.0	1.0	1.0	1.0	1.0	1.0	1.0
排水沟外缘	0.8	0.8	1.0	1.0	0.8	0.8	0.8	0.8	0.8	0.8	0.8
高压电力杆柱或铁塔基础外缘	0.8	0.8	0.8	0.8	0.8	0.8	0.8	0.8	0.8	0.8	1.2

最小水平净距(m) 名称＼规格＼名称	燃气管压力(MPa)					压缩空气管	电力电缆(kV)	电缆沟	通信电缆
	低压	中压		次高压					
		B	A	B	A				
建筑物、构筑物基础外缘	0.7	1.0	1.5	5.0	13.5	1.5	0.6	1.5	0.5
道路	0.6	0.6	0.6	1.0	1.0	0.8	0.8	0.8	0.8
管架基础外缘	0.8	0.8	1.0	1.0	1.0	0.8	0.5	0.8	0.5
照明、通信杆柱（中心）	1.0	1.0	1.0	1.0	1.0	0.8	0.5	0.8	0.5

最小水平净距(m) 名称 规格 名称	燃气管压力(MPa)					压缩空气管	电力电缆(kV)	电缆沟	通信电缆
	低压	中压		次高压					
		B	A	B	A				
围墙基础外缘	0.6	0.6	0.6	1.0	1.0	1.0	0.5	1.0	0.5
排水沟外缘	0.6	0.6	0.6	1.0	1.0	0.8	1.0	1.0	0.8
高压电力杆柱或铁塔基础外缘	1.0 (2.0)	1.0 (2.0)	1.0 (2.0)	1.0 (5.0)	1.0 (5.0)	1.2	1.0	1.2	0.8

注:1 表列净距除注明者外,管线均自管壁、沟壁或防护设施的外缘或最外一根电缆起。道路为城市型时,自路面边缘算起,为公路型时,自路肩边缘算起。

    2 建(构)筑物基础外缘与燃气管次高压 B 的最小水平净距,为距建(构)筑物外墙面(出地面处)的距离。

    3 建(构)筑物基础外缘与燃气管(低压、中压、次高压)的最小水平净距,如受地形限制不能满足要求,采取有效的安全防护措施后,净距可适当缩小,但低压管道不应影响建(构)筑物基础的稳定性,中压管道距建(构)筑物基础不应小于 0.5m 且距建(构)筑物外墙面不应小于 1m,次高压燃气管道距建筑物外墙不应小于 3.0m。其中,当次高压 A 道采取有效安全防护措施或当管道壁厚不小于 9.5mm 时,距建(构)筑物外墙面不应小于 6.5m,当管壁厚度不小于 11.9mm 时,距建(构)筑物外墙面不应小于 3.0m。

    4 括号内数据为大于 35kV 电杆(塔)的距离。与电杆(塔)基础之间的水平距离应符合现行国家标准《城镇燃气设计规范》GB 50028 的有关规定。

    5 距离由电杆(塔)中心起算。

    6 表中所列数值在不能实现的情况下可酌减且最多减少 15%。

    7 通信电缆管道距建(构)筑物基础外缘的净距应为 1.2m,电力电缆排管(即电力电缆管道)净距要求与电缆沟(管)相同。

    8 电力电缆与道路、排水沟外缘的最小水平净距,是指埋地电力电缆与道路、排水沟的基础在同一标高或其以上时,当埋地管道深度大于建(构)筑物的基础深度时,应按土壤性质计算确定,但不得小于表列数值。

    9 建(构)筑物基础外缘与电力电缆、通信电缆的最小水平净距,当为双柱式管架分别设基础时,在满足本表要求时,可在管架基础之间敷设管线。

A.0.2 地下管线之间的最小水平净距应符合表 A.0.2 的规定。

表 A.0.2　地下管线之间的最小水平净距表

管线名称	规格	给水管(mm)				排水管(沟)(mm)					
						雨水管(沟)			生产与生活污水管(沟)		
		<75	75~150	200~400	>400	<800	800~1500	>1500	<300	400~600	>600
给水管(mm)	<75	—	—	—	—	0.7	0.8	1.0	0.7	0.8	1.0
	75~150	—	—	—	—	0.8	1.0	1.2	0.8	1.0	1.2
	200~400	—	—	—	—	1.0	1.2	1.5	1.0	1.2	1.5
	>400	—	—	—	—	1.0	1.2	1.5	1.2	1.5	2.0
排水管(沟)(mm) 雨水管(沟)	<800	0.7	0.8	1.0	1.0	—	—	—	—	—	—
	800~1500	0.8	1.0	1.2	1.2	—	—	—	—	—	—
	>1500	1.0	1.2	1.5	1.5	—	—	—	—	—	—
生产与生活污水管(沟)	<300	0.7	0.8	1.0	1.2	—	—	—	—	—	—
	400~600	0.8	1.0	1.2	1.5	—	—	—	—	—	—
	>600	1.0	1.2	1.5	2.0	—	—	—	—	—	—
热力沟(管)		0.8	1.0	1.2	1.5	1.0	1.2	1.5	1.0	1.2	1.5
燃气管	低压	0.5	0.5	0.5	0.5	1.0	1.0	1.0	1.0	1.0	1.0
	中压 B	0.5	0.5	0.5	0.5	1.2	1.2	1.2	1.2	1.2	1.2
	中压 A	0.5	0.5	0.5	0.5	1.2	1.2	1.2	1.2	1.2	1.2
	高压 B	1.0	1.0	1.0	1.0	1.5	1.5	1.5	1.5	1.5	1.5
	高压 A	1.5	1.5	1.5	1.5	2.0	2.0	2.0	2.0	2.0	2.0
压缩空气管		0.8	1.0	1.2	1.5	0.8	1.0	1.2	0.8	1.0	1.2
电力电缆(kV)	<1	0.6	0.6	0.6	0.6	0.6	0.6	0.6	0.6	0.6	0.6
	1~10	0.8	0.8	1.0	1.0	0.6	0.6	1.0	0.6	0.6	1.0
	≤35	1.0	1.0	1.0	1.0	1.0	1.0	1.0	1.0	1.0	1.0
电缆沟(管)		0.8	1.0	1.2	1.5	1.0	1.2	1.5	1.0	1.2	1.5
通信电缆	直埋电缆	0.5	0.5	1.0	1.0	0.8	1.0	1.0	0.8	1.0	1.0
	电缆管道	0.5	0.5	1.0	1.2	0.8	1.0	1.0	0.8	1.0	1.0

续表 A.0.2

最小水平净距(m) 管线名称/规格	热力沟(管)	燃气管 低压	燃气管 中压 B	燃气管 中压 A	燃气管 高压 B	燃气管 高压 A	压缩空气管	电力电缆(kV) <1	电力电缆(kV) 1~10	电力电缆(kV) <35	电缆沟(管)	通信电缆 直埋电缆	通信电缆 电缆管道
给水管(mm) <75	0.8	0.5	0.5	0.5	1.0	1.5	0.8	0.6	0.8	1.0	0.8	0.5	0.5
给水管(mm) 75~150	1.0	0.5	0.5	0.5	1.0	1.5	1.0	0.6	0.8	1.0	1.0	0.5	0.5
给水管(mm) 200~400	1.2	0.5	0.5	0.5	1.0	1.5	1.2	0.8	1.0	1.0	1.2	1.0	1.0
给水管(mm) >400	1.5	0.5	0.5	0.5	1.0	1.5	1.5	0.8	1.0	1.0	1.5	1.2	1.2
排水管(沟)(mm) 雨水管(沟) <800	1.0	1.0	1.2	1.2	1.5	2.0	0.8	0.6	0.8	1.0	1.0	0.8	0.8
排水管(沟)(mm) 雨水管(沟) 800~1500	1.2	1.0	1.2	1.2	1.5	2.0	1.0	1.0	1.0	1.0	1.2	1.0	1.0
排水管(沟)(mm) 雨水管(沟) >1500	1.5	1.0	1.2	1.2	1.5	2.0	1.2	1.0	1.0	1.0	1.5	1.0	1.0
排水管(沟)(mm) 生产与生活污水管(沟) <300	1.0	1.0	1.2	1.2	1.5	2.0	0.8	0.6	0.8	1.0	1.0	0.8	0.8
排水管(沟)(mm) 生产与生活污水管(沟) 400~600	1.2	1.0	1.2	1.2	1.5	2.0	1.0	0.8	1.0	1.0	1.2	1.0	1.0
排水管(沟)(mm) 生产与生活污水管(沟) >600	1.5	1.0	1.2	1.2	1.5	2.0	1.2	1.0	1.0	1.0	1.5	1.0	1.0
热力沟(管) —	—	1.0 (1.0)	1.0 (1.5)	1.0 (1.5)	1.5 (2.0)	2.0 (4.0)	1.0	1.0	1.0	1.0	2.0	0.8	0.6
燃气管 低压	1.0 (1.0)	—	—	—	—	—	1.0	0.8	1.0	1.0	1.0	0.5	1.0
燃气管 中压 B	1.0 (1.5)	—	—	—	—	—	1.0	0.8	1.0	1.0	1.0	0.5	1.0
燃气管 中压 A	1.0 (1.5)	—	—	—	—	—	1.0	0.8	1.0	1.0	1.0	0.5	1.0
燃气管 高压 B	1.5 (2.0)	—	—	—	—	—	1.2	1.0	1.0	1.0	1.0	1.2	1.0
燃气管 高压 A	2.0 (4.0)	—	—	—	—	—	1.5	1.5	1.5	1.5	1.5	1.5	1.5
压缩空气管	1.0	1.0	1.0	1.0	1.2	1.5	—	0.8	0.8	1.0	1.0	0.8	1.0

最小水平净距(m) 管线名称/规格		热力沟(管)	燃气管					压缩空气管	电力电缆(kV)			电缆沟(管)	通信电缆	
			低压	中压		高压			<1	1~10	<35		直埋电缆	电缆管道
管线名称	规格			B	A	B	A							
电力电缆(kV)	<1	1.0	1.0	1.0	1.0	1.0	1.5	0.8	—	—	—	0.5	0.5	0.5
	1~10	1.0	1.0	1.0	1.0	1.0	1.5	0.8	—	—	—	0.5	0.5	0.5
	≤35	1.0	1.0	1.0	1.0	1.0	1.5	1.0	—	—	—	0.5	0.5	0.5
电缆沟(管)		2.0	1.0	1.0	1.0	1.0	1.5	1.0	0.5	0.5	0.5	—	0.5	0.5
通信电缆	直埋电缆	0.8	0.5	0.5	0.5	1.0	1.5	0.8	0.5	0.5	0.5	0.5	—	—
	电缆管道	0.6	1.0	1.0	1.0	1.0	1.5	1.0	0.5	0.5	0.5	0.5	—	—

注:1 表列间距均自管壁、沟壁或防护设施的外缘或最外一根电缆算起。

2 当热力沟(管)与电力电缆间距不能满足本表规定时,应采取隔热措施,特殊情况下可酌减且最多至 15%。

3 局部地段电力电缆穿管保护或加隔板后与给水管道、排水管(沟)、压缩空气管道的净距可减少到 0.5m,或穿管通信电缆的净距可减少到 0.1m。

4 表列数据系按给水管在污水管(沟)上方制定的。生活饮用水给水管与污水管(沟)之间的净距应按本表数据增加 50%;生产废水管与雨水管(沟)和给水管之间的净距可减少 20%,通信电缆、电力电缆之间的净距可减少 20%,但不得小于 0.5m。

5 当给水管与排水管(沟)共同埋设的土壤为砂土类,且给水管的材质为非金属或非合成塑料时,给水管与排水管(沟)的净距不应小于 1.5m。

6 仅供采暖用的热力沟(管)与电力电缆、通信电缆及电缆沟之间的净距可减少 20%,但不得小于 0.5m。

7 110kV 级的电力电缆与本表中各类管线的净距可按 35kV 数值增加 50%,电力电缆排管(即电力电缆管道)净距要求与电缆沟(管)相同。

8 括号内数据为距管沟外壁的净距离。

9 管径系指公称直径。

10 表中"—"表示间距未作规定,可根据具体情况确定。

A.0.3 地下管线之间的最小垂直净距应符合表 A.0.3 的规定。

表 A.0.3 地下管线之间的最小垂直净距表

最小垂直净距(m) 管线名称 ＼ 管线名称	给水管	排水管（沟）	热力沟（管）	地下燃气管线	电力电缆	电缆沟（管）	通信电缆	
							直埋电缆	电缆管道
给水管	0.15	0.40	0.15	0.15	0.50	0.15	0.50	0.15
排水管（沟）	0.40	0.15	0.15	0.15	0.50	0.25	0.50	0.15
热力沟（管）	0.15	0.15	—	0.15	0.50	0.25	0.50	0.25
地下燃气管线	0.15	0.15	0.15	—	0.50	0.25	0.50	0.15
电力电缆	0.15	0.50	0.50	0.50	0.50	0.25	0.50	0.50
电缆沟（管）	0.15	0.25	0.25	0.25	0.25	0.25	0.25	0.25
通信电缆 直埋电缆	0.50	0.50	0.50	0.50	0.50	0.25	0.25	0.25
通信电缆 电缆管道	0.15	0.15	0.25	0.15	0.50	0.25	0.25	0.25

注:1 表中管道、电缆和电缆沟最小垂直净距系指下面管道或管沟的外顶与上面管道的管底或管沟基础底之间的净距。

   2 当电力电缆采用隔板分隔时,电力电缆之间及其到其他管线(沟)的距离可为0.25m。

附录 B 胶带输送机通廊净宽尺寸

B.0.1 一条胶带输送机的通廊净宽尺寸（图 B.0.1）应符合表 B.0.1 的规定。

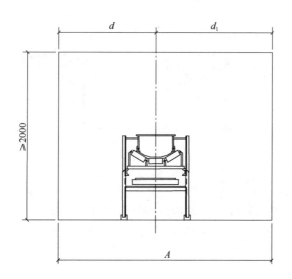

图 B.0.1 一条胶带输送机的通廊净宽尺寸

A—通廊总净宽；d—胶带输送机中心至走廊副操作面外缘距离；
d₁—胶带输送机中心至走廊主操作面外缘距离

表 B.0.1 一条胶带输送机的通廊净宽尺寸(mm)

带　　宽		500	650	800	1000	1200	1400
距离	A	2650	2850	3050	3300	3450	3650
	d	1150	1250	1350	1500	1550	1650
	d₁	1500	1600	1700	1800	1900	2000

B.0.2 两条胶带输送机的通廊净宽尺寸(图 B.0.2)应符合表 B.0.2 的规定。

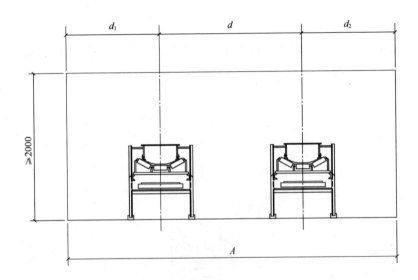

图 B.0.2 两条胶带输送机的通廊净宽尺寸

A—通廊总净宽;d—两条胶带输送机中心距离;

d_1,d_2—两条胶带输送机中心至走廊外缘距离

表 B.0.2 两条胶带输送机的通廊净宽尺寸(mm)

带 宽		500+500	650+650	800+800	1000+1000	1200+1200	1400+1400
距离	A	4200	4600	5100	5500	5900	6300
	d	1900	2100	2400	2500	2800	3000
	d_1	1150	1250	1350	1500	1550	1650
	d_2	1150	1250	1350	1500	1550	1650

B.0.3 地下通廊净宽尺寸(图 B.0.3)应符合表 B.0.3 的规定。

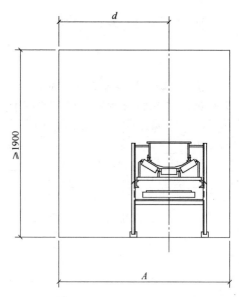

图 B.0.3 地下通廊净宽尺寸

A—通廊总净宽;d—胶带输送机中心至走廊主操作面外缘距离

表 B.0.3 地下通廊净宽尺寸(mm)

带 宽		500	650	800	1000	1200	1400
距离	A	2200	2400	2700	2900	3000	3200
	d	1500	1600	1700	1800	1500	2000

附录 C 采暖计算温度

C.0.1 厂房工作点的采暖计算温度应符合表 C.0.1 的规定。

表 C.0.1 厂房工作点的采暖计算温度(℃)

车间及工作地点名称	室温	车间及工作地点名称	室温
原料车间		液化石油气供配站	
均化库	5	泵 房	10
受料间(粉料)	12	混气间	10
破碎间	5	气化间	10
称量间	12	发生炉煤气站	
筛分间	12	主厂房底层	12
粉仓顶(活动溜子间)	5	主厂房操作层	12
混合机房	12	主厂房储煤层	5
配合料胶带输送机廊	15	上煤系统	
浮法联合车间		给煤间	5
熔化底层	—	破碎间	5
熔化操作层	—	筛分间	5
成形操作层	—	氢气站	
退火操作层	10	主控室	18
人工检测室	12	电解间	12
切裁操作层	12	碱液间、氨分解间	12
集装架维修	12	整流间	12
锡锭储藏室	15	化验间	18
余热锅炉房		加压间	12
锅炉间	12	净化间	12
风机间	5	压缩空气站	
水处理间	10	机器间	12
总变电所		氮气(氮氧)站	
主控制室	18	加压间	12
低压配电室	5	净化间	12
高压配电室	5	分析室	18

车间及工作地点名称	室温	车间及工作地点名称	室温
控制室	18	冷冻机室	12
柴油发电机室(转运期15℃)	5	汽车库	
水泵房		停车库	5
机器间(水泵间)	10	保养、修理间	16
油泵房		机电维修车间	
机器间(泵房)	10	机械、电气维修间	16
仪器、仪表维修间	16	计算机室	18
除尘设备室	5	化学分析室	18
中心实验室、环保监测站		加热室	16
物理检验室	18	密度计室	18
氢气分析室	18	光度计室	18
油气分析室	18	天平室	18
岩相分析室	18	药品库	5

C.0.2 辅助用室的采暖计算温度应符合表 C.0.2 的规定。

表 C.0.2　辅助用室的采暖计算温度(℃)

辅助用室名称	室温	辅助用室名称	室温
办公室	18	更衣室	25
会议室	18	女工卫生室	23
休息室	18	哺乳室	22
存衣室	18	吊车司机室	18
技术资料室	18	配电室	12
医务室	20	控制室	18
厕　所	14	仪表修理室	18
盥洗室	14	值班室、门卫室	18
食　堂	18	储油室	5
厨　房	14	电梯间	5
浴　室	25		

附录 D 机械通风换气次数

D.0.1 有害气体房间的全面通风换气次数应符合表 D.0.1 的规定。

表 D.0.1 有害气体房间的全面通风换气次数(次/h)

房 间 名 称		最低换气次数
储酸室		6
发生炉煤气站	上煤系统给煤机地下室	10
	煤气排送机间、站房底层和二层为封闭式建筑时	10
	煤仓顶层(封闭式建筑)	6
水泵房		6
制冷站(溴冷站)		6
热交换站		6
高位油罐间		10
氢气站	碱液间	6
	电解间、净化间、氨分解间	3
	氢气压缩机间	3
	分析室、化验间	3
	湿式氢气储气柜的闸门室	3
	电源室、储氨间	3
浮法联合车间	燃油控制室	10
	天然气配气室	10
	焦炉煤气配气室	10
	氧气配气室	10
	二氧化硫室	10
	氮氢保护气体配气室	10
	氮氢保护气体仪表间	10
石油液化气站的气化混气间		12

房 间 名 称		最低换气次数
柴油泵房		10
重油泵房	地面上	3
	地面下	10
中心实验室	化学分析室	8
	加热室	按发热量计算
停车间、保养间、修理间		3～6

D.0.2 事故排风换气次数应符合表 D.0.2 的规定。

表 D.0.2　事故排风换气次数(次/h)

房 间 名 称	换气次数
氢气站的电解间、净化间、氢压缩间、氨分解间	12
液化石油气站的气化混气间	12
发生炉煤气站煤气排送机间	12
储酸室	20
二氧化硫室	12
氮氢保护气体配气室	12
天然气配气室	12
焦炉煤气配气室	12

附录 E 生产操作区空气中生产性粉尘的 最高允许浓度

表 E 生产操作区空气中生产性粉尘的最高允许浓度(mg/m³)

粉 尘 名 称	最高允许浓度
石英砂、砂岩尘	游离二氧化硅含量 80％以上为 1
	游离二氧化硅含量 50％～80％为 1.5
长石尘	2
白云石、石灰石尘	10
纯碱、芒硝尘	10
煤尘	10
混合料粉尘	游离二氧化硅含量≥50％为 1.5
	游离二氧化硅含量＜50％为 2
碎玻璃尘	2
耐火砖及耐火材料粉尘	2

附录 F 主要车间楼面、地面荷载标准值

F.0.1 原料车间楼面荷载标准值应符合表 F.0.1 的规定。

表 F.0.1 原料车间楼面荷载标准值(kPa)

工 作 部 位	均布荷载	备 注
筛分楼面	4.0	设备及动力荷载另计
吊车库仓顶平台	5.0	——
粉料库顶楼面	3.0	——
混合机楼面	6.0	设备及动力荷载另计
称量楼面	4.0	设备及动力荷载另计

F.0.2 浮法联合车间楼面荷载标准值应符合表 F.0.2 的规定。

表 F.0.2 浮法联合车间楼面荷载标准值(kPa)

工 作 部 位	均布荷载	备 注
熔窑周围操作楼面	20.0	设备荷载另计
投料平台	6.0	窑头料仓及胶带输送机设备荷载另计
成形部操作楼面	20.0	——
成形部底层操作平台	4.0	——
成形部辅助用房楼面	4.0	——
退火窑操作楼面	10.0	设备荷载另计
退火窑两侧辅助用房楼面	4.0	——
冷端系统操作楼面	10.0	设备荷载另计
成品库楼面	≥30.0	根据产品规格确定设计荷载
胶带输送机走廊	2.0	——
胶带输送机尾部平台	3.0	——

F.0.3 发生炉煤气站楼面荷载标准值应符合表 F.0.3 的规定。

表 F.0.3 发生炉煤气站楼面荷载标准值(kPa)

工 作 部 位	均布荷载	备 注
站房二层楼面	10.0	设备荷载另计
站房三层储煤仓顶楼面	6.0	设备荷载另计
站房各辅助用室楼面	4.0	—

F.0.4 其他车间的楼面荷载标准值应符合下列规定:

1 车间内无特殊堆料地面应按 10.0kPa 计;

2 车间内堆料地面荷载应按堆料重量计且应大于 10.0kPa;

3 地坑盖板荷载可按 20.0kPa,设备及动力荷载应另计;

4 当楼面、地面使用叉车或其他车辆输送物料时,应根据使用车辆及载重计算;

5 楼面集中荷载需换算成均布荷载时,应符合现行国家标准《建筑结构荷载规范》GB 50009 的有关规定;

6 当生产工艺要求的荷载值超出本规范附录 F 提供的荷载标准值时,应按实际荷载值设计计算;

7 厂房荷载计算应符合现行国家标准《建筑结构荷载规范》GB 50009 的有关规定。

F.0.5 设计楼面主梁、墙、柱及基础,当楼面荷载大于或等于 10.0kPa,且作用在主梁、墙、柱及基础上的荷载面积超过 $10m^2$ 时,楼面活荷载标准值的折减系数应取 0.75。

附录 G 厂区各类地点的噪声标准

表 G 厂区各类地点的噪声标准(dB)

地 点 类 别	噪声限值
工人每天连续接触噪声 8h 的生产车间及作业场所[1]	85
工人每天连续接触噪声 4h 的生产车间及作业场所	88
工人每天连续接触噪声 2h 的生产车间及作业场所[2]	91
车间的控制室、仪表室、值班室、操作室、办公室、会议室、休息室	70
厂部所属办公室、会议室、化验室	60
医务室、教室、哺乳室、倒班宿舍	55

注:1 系指人工加工砖、切裁工段等场所。

 2 系指原料车间破碎区、压缩空气站、循环水泵房等需要巡回检查但无需经常有人操作的生产场所。

本规范用词说明

1　为便于在执行本规范条文时区别对待，对要求严格程度不同的用词说明如下：

　　1）表示很严格，非这样做不可的：

　　　　正面词采用"必须"，反面词采用"严禁"；

　　2）表示严格，在正常情况下均应这样做的：

　　　　正面词采用"应"，反面词采用"不应"或"不得"；

　　3）表示允许稍有选择，在条件许可时首先应这样做的：

　　　　正面词采用"宜"，反面词采用"不宜"；

　　4）表示有选择，在一定条件下可以这样做的，采用"可"。

2　条文中指明应按其他有关标准执行的写法为："应符合……的规定"或"应按……执行"。

引用标准名录

《建筑地基基础设计规范》GB 50007

《建筑结构荷载规范》GB 50009

《Ⅲ、Ⅳ级铁路设计规范》GB 50012

《建筑给水排水设计规范》GB 50015

《建筑设计防火规范》GB 50016

《工业建筑供暖通风与空气调节设计规范》GB 50019

《厂矿道路设计规范》GBJ 22

《湿陷性黄土地区建筑规范》GB 50025

《城镇燃气设计规范》GB 50028

《压缩空气站设计规范》GB 50029

《氧气站设计规范》GB 50030

《建筑照明设计标准》GB 50034

《锅炉房设计规范》GB 50041

《小型火力发电厂设计规范》GB 50049

《工业循环冷却水处理设计规范》GB 50050

《供配电系统设计规范》GB 50052

《低压配电设计规范》GB 50054

《通用用电设备配电设计规范》GB 50055

《建筑物防雷设计规范》GB 50057

《爆炸危险环境电力装置设计规范》GB 50058

《3～110kV 高压配电装置设计规范》GB 50060

《电力装置的继电保护和自动装置设计规范》GB/T 50062

《电力装置的电测量仪表装置设计规范》GB/T 50063

《交流电气装置的过电压保护和绝缘配合设计规范》GB/T 50064

《交流电气装置的接地设计规范》GB/T 50065

《石油库设计规范》GB 50074

《工业企业噪声控制设计规范》GB/T 50087

《建筑灭火器配置设计规范》GB 50140

《氢气站设计规范》GB 50177

《工业企业总平面设计规范》GB 50187

《发生炉煤气站设计规范》GB 50195

《电力工程电缆设计规范》GB 50217

《工业金属管道设计规范》GB 50316

《建筑物电子信息系统防雷技术规范》GB 50343

《储罐区防火堤设计规范》GB 50351

《平板玻璃工厂节能设计规范》GB 50527

《玻璃工厂环境保护设计规范》GB 50559

《民用建筑供暖通风与空气调节设计规范》GB 50736

《消防给水及消火栓系统技术规范》GB 50974

《液化石油气供应工程设计规范》GB 51142

《通信线路工程设计规范》GB 51158

《压力容器》GB 150

《工业碳酸钠及其试验方法　第1部分:工业碳酸钠》GB 210.1

《安全色》GB 2893

《固定式钢梯及平台安全要求》GB 4053

《工业硝酸钠》GB/T 4553

《工业自动化仪表　气源压力范围和质量》GB/T 4830

《氢气使用安全技术规程》GB 4962

《生产设备安全卫生设计总则》GB 5083

《工业无水硫酸钠》GB/T 6009

《起重机械安全规程　第1部分:总则》GB 6067.1

《工业企业煤气安全规程》GB 6222

《平板玻璃集装器具　架式集装器及其试验方法》GB/T 6382.1

《工业管道的基本识别色、识别符号和安全标识》GB 7231

《污水综合排放标准》GB 8978

《平板玻璃》GB 11614

《防止静电事故通用导则》GB 12158

《工业企业厂界环境噪声排放标准》GB 12348

《液体石油产品静电安全规程》GB 13348

《电能质量　公用电网谐波》GB/T 14549

《固定污染源排气中颗粒物测定与气态污染物采样方法》GB/T 16157

《用能单位能源计量器具配备和管理通则》GB 17167

《危险废物贮存污染控制标准》GB 18597

《节水型产品通用技术条件》GB/T 18870

《电离辐射防护与辐射源安全基本标准》GB 18871

《压力管道规范　工业管道》GB/T 20801

《平板玻璃单位产品能源消耗限额》GB 21340

《平板玻璃工业大气污染物排放标准》GB 26453

《城市道路照明设计标准》CJJ 45

《固定污染源烟气排放连续监测技术规范》HJ/T 75

《固定源废气监测技术规范》HJ/T 397

《浮法玻璃退火窑》JC/T 604

《河港工程总体设计规范》JTJ 212

《燃料油》SH/T 0356

中华人民共和国国家标准

平板玻璃工厂设计规范

GB 50435 - 2016

条 文 说 明

修 订 说 明

　　《平板玻璃工厂设计规范》GB 50435—2016 经住房城乡建设部 2016 年 8 月 18 日以第 1264 号公告批准发布。

　　本规范是在《平板玻璃工厂设计规范》GB 50435—2007 的基础上修订而成，上一版的主编单位是蚌埠玻璃工业设计研究院，参编单位是中国建材国际工程有限公司，主要起草人员是彭寿、茆令文、唐淳、房广华、佟适明、王殿元、陆莹、贺宝林、杨义仿、王四清、汪舒生、王伊托、惠建秋、霍全兴、戴强、贾维仁、陆少峰。

　　本规范在修订过程中，编制组对我国平板玻璃工业情况进行了调查研究，总结了我国平板玻璃工厂工程建设的实践经验，同时参考了国外先进技术法规、技术标准。

　　为便于广大设计、施工、科研、学校等单位有关人员在使用本规范时能正确理解和执行条文规定，编制组按章、节、条顺序编制了本规范的条文说明，对条文规定的目的、依据以及执行中需注意的有关事项进行了说明，还着重对强制性条文的强制性理由作了解释。但是，本条文说明不具备与规范正文同等的法律效力，仅供使用者作为理解和把握规范规定的参考。

目　次

1 总　　则

1.0.1 本条是平板玻璃工厂设计时应遵循的原则。本规范所指的平板玻璃为钠－钙－硅系玻璃。

1.0.2 对于其他生产工艺的平板玻璃工厂设计,可根据所采用的生产工艺特点参照本规范执行。

1.0.3 对改、扩建项目应在设计中经过多方案的综合比较,以技术进步为主导,淘汰能耗高的设备,注重节能减排和产品质量的提升及结构调整。

3 基 本 规 定

3.1 设 计 规 模

3.1.2 小型玻璃熔窑的单位产品能耗远高于大型玻璃熔窑,除特种玻璃外,日熔化玻璃液量为 500t 以下的浮法玻璃熔窑不应新建。

3.2 设 计 依 据

3.2.2 建设单位应向设计单位提供设计基础资料,并保证资料准确可靠。

3.3 设 计 要 求

3.3.2 总成品率指生产 2mm～25mm 范围内含不同厚度产品比例之和的平均总成品率。

3.3.3、3.3.4 此两条为推动平板玻璃技术进步,提高设计水平和规模效益,对新建厂和工艺装备落后、产品质量不高、能耗及排放不达标的老厂进行升级改造时所提出的设计要求。

4 厂址选择与厂区总体规划

4.1 厂址选择

4.1.1 厂址选择除要遵照当地的总体规划和符合现行有关标准外,还应遵守国家法规《中华人民共和国城市规划法》和《中华人民共和国土地管理法》等的有关规定。

4.1.2 影响平板玻璃厂厂址选择的主要有原料、燃料、运输及工厂本身的建设条件,应对本条规范所列各种因素进行详细的比较后,选取综合效益最佳的厂址方案。

4.1.3 本条强调"宜选用条件成熟的工业园区",主要是考虑经批准的工业园区符合当地规划,用地较易批准。工业园区的建设条件一般是由当地政府配套完成的,对项目建设的投资、进度控制及审批均比较有利。

4.1.5 本条是厂区标高的设计原则。采用一层建筑形式的工厂,因熔窑、循环水泵等重要设施设置在地坑(地下室),一旦厂区雨水不能顺利排出,将会直接进入地坑,造成生产及财产安全事故。当选用工业园区的厂址,在工业园区的"控制性详细规划"中,对于竖向标高及防、排涝措施均有详细说明,可遵照执行。

4.2 厂区总体规划

4.2.1 厂区总体规划应符合当地的建设规划,主要是平面布局、规划控制指标、用地控制红线、建筑形式等应与当地规划协调。

4.2.3 应根据工厂所在地的生产、交通、公用设施及发展条件,进行认真研究和方案比较,对工厂生产分区、行政服务区、厂外交通运输线路及与本工程有关的厂外其他的工程设施的位置进行统筹规划。

5 总图运输

5.1 一般规定

5.1.1 考虑预留发展用地的布置是一个较难处理的问题。在合理布局的情况下,本条提出宜将预留地放在厂区外。当前、后期工程在工艺流程及交通运输要求上不可分开时,可将后期用地预留在厂区内,但应减少预留面积并需与地方有关部门协调确定。

5.1.2 改、扩建工厂应最大限度利用原有设施,以减少工程投资,减少新征土地。

5.1.3 本条对厂区总平面布置作出规定。

2 本款"宜将生产联系密切、性质相近的建(构)筑物及生产设施组成联合建筑体",主要是从节约土地、缩短连接管线、节省人力、方便管理、合理的建筑布局等方面考虑的。

5 本款阐述了总平面布置的设计原则。总平面技术经济指标,各地方规划部门要求不尽相同,应与当地规划主管部门沟通后确定,以满足要求。

5.1.4 厂区通道宽度的确定要综合考虑。本条推荐的主要通道宽 20m～30m,是指道路宽 6m～10m,单侧绿化带宽 7m～10m。在管网密集地带宜取上限。

5.2 总平面布置

5.2.9 变(配)电所是企业生产的关键设施,应确保安全供电。

1 应考虑高压线的进出线对方位、走向和通廊宽度的要求,且有利于扩建发展。

2 本款规定是为防止电气设备受到振动而损坏,造成停电事故。

3 电气设备若受到烟尘污染、有害气体的腐蚀或潮湿侵害，可导致绝缘电阻的功能下降、泄漏电流增大，造成短路事故。

5.2.13 国土资源部在《工业项目建设用地控制指标》（国土资发〔2008〕24 号）中明确规定，工业项目所需行政办公及生活服务设施用地面积不得超过工业项目总用地面积的 7%，并不得在工业项目用地范围内建造成套住宅、专家楼、宾馆、招待所和培训中心等非生产性配套设施。

5.3 交 通 运 输

5.3.2 厂内铁路线的布置应在充分考虑近、远期运输量及运输方式的基础上，供铁路设计部门参考。

5.3.3 厂内道路的布置应在满足使用功能的前提下，尽量减少占地面积。但在工厂的厂前区，可结合厂前区环境设计得宽阔一些。

5.4 竖 向 设 计

5.4.1 本条是竖向设计总的原则，竖向设计方案应经过综合比较后确定，衡量的标准是为生产、管理、厂容和施工创造良好的条件，且使基建工程量和投资最少。竖向设计形式可采用平坡式或阶梯式。在确定采用何种形式时，要进行综合技术、经济比较后选取。有些方案虽然强调了利用地形、节约了土石方，但会增加厂区内的台阶之间连接的坡道、挡墙费用及生产运行费用。

5.4.2 本条是竖向设计应达到的总体要求。

2 在地形复杂的场地建厂时，竖向设计中设置过缓的放坡或较多的台阶都会增加通道的宽度，不利于节约用地。

3 沿江、河、湖、海建设的企业，洪、潮、内涝水的危害是不可忽视的。

4 竖向设计的土（石）方、护坡、挡土墙等工程量对建设投资和工期影响很大。

5 山区建厂如对土（石）方工程处理不当，填土或挖土会破坏山坡植被,产生水土流失等问题。

6 天然排水系统的形成有其自然发展规律,如处理不当,会造成冲刷、淤塞、水流不畅等后果。

7 竖向设计应避免只管近期,不顾远期,从而给远期工程建设和经营带来困难。

5.4.4 本条第 1 款为常规要求,对建(构)筑物位于排水条件不良地段和有特殊防潮要求、有贵重设备或受淹后损失大的车间和仓库,高填方或软土地基的地段,应根据需要加大建(构)筑物的室内外高差。

5.5 管线综合布置

5.5.1 管线用地在企业用地中占有一定的比例,综合敷设管线可以节约用地。

5.5.2 管线敷设方式有地上和地下两大类。地上敷设方式有管架、低架、管墩及建筑物支撑式。地下敷设方式有直埋式、管沟式和共沟式。在满足生产、安全、交通运输、施工、检修等要求及技术经济合理的前提下,厂区给水、排水、循环水及电缆等管线,通常宜选用地下敷设方式;厂区易燃可燃液体、燃气、热力、压缩空气等管线,通常宜选用地上管架敷设方式。

5.5.3 本条规定是为保护管线、保证安全生产、减少投资、方便交通运输而制订的。

5.5.4 本条规定是为了防止近、远期工程的管线布置处理不当而形成不合理的布局,造成土地浪费、布置混乱、生产环境不佳,并给施工、检修、生产和经营带来诸多不便。

5.5.5～5.5.7 此 3 条是在调查和总结设计实践经验的基础上,参照给水、排水、城镇燃气、电力、热力、通信等有关现行国家标准以及总图运输规范制订的。条文是在满足安全、管线施工、维护检修、减少相互间不利因素的条件下,达到安全生产、节约用地、减少能耗、降低成本的目的而制订的。

5.5.8 改、扩建工程往往有许多制约因素,约束多、难度大,在不能满足本规范中规定的管线间最小水平净距值时,结合具体情况,可采取有效措施后缩小净距,但缩小净距的范围宜在 10%～15%之间。

6 原 料

6.1 原料的选择与品质要求

6.1.2 本条规定是对国内现有平板玻璃工厂各种原料的质量指标进行标准化控制，推选合格粉料进厂，提高资源利用率。

6.2 玻璃成分和配料

6.2.2 本条规定是结合国内的生产条件、选用的原料质量和玻璃化学成分而提出的配料控制参数。在配料计算中还应考虑各种矿物原料（块料）在加工过程中带入的三氧化二铁（Fe_2O_3）量。

6.3 工艺设备选型

6.3.1、6.3.2 此两条为工艺设备选型的原则与要求。在设计中应根据工厂的实际情况，灵活运用这些原则。在设备选型时应根据诸多因素进行设备的生产能力计算。

6.4 工艺流程及布置

6.4.1 硅质原料进厂后宜采取均化措施，减少化学成分和水分波动对熔化的影响。

7 浮法联合车间

7.2 熔化系统

7.2.2 本条是对燃烧系统设计的基本要求。

3 本款是为保证燃油系统的正常工作,通常监测和控制的参数有:油的温度、压力、黏度及流量。

7.2.3 空气助燃熔窑的助燃风通过热工计算确定其用量,通过管道阻力计算和所选用燃烧器型式确定其风压。

7.2.4 为了对空气助燃熔窑均匀加热及回收和利用由烟气带走的余热,每隔一定时间进行一次换火。根据空气助燃熔窑使用燃料的种类确定换向设备的类型;根据熔窑的操作与控制水平选择换向方式。

7.2.5 根据热工要求确定熔窑各部位冷却风的选型参数。

7.2.6 本条所述熔窑设计包含空气助燃熔窑和全氧助燃熔窑两类窑型。

2 熔化率是熔窑设计的一个主要指标。熔化率的确定与玻璃品种、质量、燃料种类及生产操作水平有密切的关系,因此不宜单纯追求熔化率的高指标。

3 耐火材料的选用及配套设计直接关系到熔窑的使用寿命,具体应根据熔窑各部位热工特点及耐火材料性能按专有技术进行设计,有效保证设计窑龄和玻璃质量。

4 钢结构设计应考虑到熔窑作为一个热工设备的特点。

全氧助燃熔窑采用熔铸耐火材料砌筑的大碹,在升温过程中砖材会产生体积收缩现象,因此其钢结构设计应要保证大碹的安全性。

5 为保证熔窑具有稳定的工况及减少外界的干扰,窑体应具有良好的密封。为提高热效率、节约能源，在熔窑设计上应实施全保温方案。

　　6　小炉的设计原则及有关参数是国内设计经验的总结；蓄热室的设计原则及有关参数是根据熔窑能耗要求和国内设计经验的总结。

　　8　为减少烟道的漏风量及提高余热的利用率，烟道应加强密封和保温。

　　由于全氧助燃熔窑排烟温度高，因此需要在烟道上掺入冷风降低烟气温度，以适应烟道闸板及烟囱的使用温度要求。

　　9　本款为强制性条款。发生炉煤气熔窑在换向时，煤气烟道中会残留一些煤气，这些煤气在特定的条件下会发生爆炸。煤气一旦爆炸将会危及财产安全及人民生命。因此，从发生炉煤气熔窑的运行安全性考虑，煤气烟道上必须采取煤气换向防爆措施。

7.3　成形系统

7.3.2　本条规定了锡槽的设计要求。

　　1　玻璃液进入锡槽内的成形温度为 1050℃左右，出锡槽的温度为 600℃左右。

　　2　锡槽槽压要求是根据锡槽特性和玻璃产品的质量要求及国内现有生产厂的经验提出的。

　　8　本款为强制性条款。由于锡槽中盛有熔点低、渗透性强的锡液，生产时锡槽底壳温度高于锡的熔点温度，易发生漏锡事故，影响生产和人身安全。所以锡槽槽底必须设置防止锡液渗漏的冷却设施。

7.3.3　成形工艺必需配套的设备及装置有：玻璃液流量调节控制装置、密封箱、过渡辊台、拉边机、锡液扒渣机、冷却器等。

7.4　退火系统

7.4.1、7.4.2　本节是对退火系统设计的基本要求，是根据玻璃的退火理论、热工计算和现有玻璃生产线总结等方面而提出的。由于浮法玻璃生产线的品种、规格、等级等方面的不同和差异,对设计的细则不作规定。

7.5 冷端系统

7.5.1~7.5.3 冷端系统是浮法生产出合格成品的关键设备,其特点是产量大、速度快、成品质量要求高,因此要求设计精度高,使用性能好,适应性强,设备坚固耐用,便于排除故障,宜朝智能化方向发展,提高玻璃成品率。设计中应根据产品要求、项目投资额度等要求确定冷端系统装备水平并结合实际情况进行设计。

7.6 碎玻璃系统

7.6.1~7.6.4 这4条规定是对碎玻璃系统设计的基本要求,有关数据均为结合实际经验并计算后得出。布置形式要根据工厂的生产规模、投资额、总图布置等情况确定。

7.8 车间工艺布置

7.8.1 浮法联合车间按熔化工段、成形工段、退火工段、冷端系统(包括切裁工段和成品工段)的厂房布置形式,结合目前国内已投产的工厂、新设计的工厂以及中外合资等项目的情况,主要有三种形式:

①熔化、成形、退火、冷端系统为单层厂房,即成形操作层设在±0.000平面上,这种形式的优点是运输方便,要结合当地的地形、风力、地下水位低等条件采用;

②熔化、成形、退火、冷端系统操作层均设在二层楼面上,这种布置形式运输不方便,但可充分利用底层的建筑面积;

③熔化、成形、退火为二层厂房,冷端系统部分机组通过斜坡辊道过渡到单层厂房,这种布置形式综合了上述两种形式的优点,但冷端主线增长。

7.8.3 本条对成形工段工艺布置提出了要求。

    6 氮氢保护气体配气室主要布置有氢气、氮气和氮氢混合气体系统,为保证安全生产,配气室防护等级需提高。

8 燃 料

8.2 重 油

8.2.3 供卸油系统的设计应根据实际用油的品质进行。工艺布置设计应符合现行国家标准《建筑设计防火规范》GB 50016 的有关规定。

8.2.4 本条对供卸油设备的选型作出规定。在设备选型前应根据供油量、油品指标、油温、管道布置、运行工况等因素进行计算。

8.2.5 本条是燃油管道设计的通用要求,应按常规要求执行。

8.2.6 本条是对浮法联合车间供油系统提出的要求。

    2 熔窑燃油用雾化介质的目的是使油滴成雾状得以充分燃烧,增加油粒的蒸发表面,加快燃烧速度,因此要求雾化介质有一定的压力。

    3 车间油路系统的设备应选用燃烧效率高、节能和低噪声的燃油喷嘴,加热器的选用要满足油质和燃油喷嘴的需要。

8.3 天 然 气

8.3.4 本条对天然气站工艺布置提出了要求。

    1 配气站的设置为确保燃料压力和熔窑温度的稳定,一般设有两级调压。

    4 厂区调压配气站的主要设备在选型前应进行计算。

8.4 发生炉煤气

8.4.1 本条是根据我国的能源现况和烧煤气的玻璃熔窑生产的特点提出的。气化用煤应符合现行国家标准《发生炉煤气站设计规范》GB 50195 中"两段煤气发生炉气化煤种的技术指标"的规定。

8.4.2、8.4.3 这两条规定是根据平板玻璃工厂煤气站生产和使用的特点提出的。

8.5 焦 炉 煤 气

8.5.1、8.5.2 焦炉煤气是指块煤在炼制焦炭过程中产生的焦炉煤气。由于煤气属副产品，一旦焦炭产量的市场发生波动，将引起煤气产量的波动，故需有补充燃料。

8.5.4 窑炉换火时需停气 30s～50s，积压在管道内的焦炉煤气会使管道内压力升高而导致焦炉煤气加压机停止运行，因此应在加压机出口设置管道泄压装置。

9 供 气

9.1 一般规定

9.1.1 该条中的数据是根据平板玻璃工厂的运行经验确定的。

5 当采用氨分解制氢时,氢气压力过低时不利于气量的调节,而且输送管道直径会增大。

9.2 高纯氮气与氧气制备

9.2.2 本条对空分装置提出了要求。

4 合理选择分馏塔既满足生产线的氮气需求,又考虑某条生产线冷修时,空分设备运行的可靠性。

9.2.3 平板玻璃工厂高纯氮气制备采用空气分离法,从开机到出合格的高纯氮气需 24h 以上,由于锡槽工艺要求连续供氮气,故液氮储量不宜小于 1 台空分装置启动时间所需的量。对于外购液氮方便的地区,液氮储存量可少一些。气化装置的气化能力应考虑停电时的氮气使用总量。

9.3 高纯氢气制备

9.3.4 氨分解制氢站液氨的运输通常采用氨瓶或槽车,有数条生产线的玻璃工厂应采用槽车运输,液氨储存容量宜为 $30m^3 \sim 100m^3$,且液氨存储应符合国家现行标准和相关法规。

9.4 压缩空气

9.4.2 本条对空气压缩机设备选型作出规定。

4 一般空气压缩机设备的吸气工况是 1 个大气压、20℃的干空气,而这些工况会受海拔高度、温度、湿度的影响,因此空气压缩机的选型应考虑当地的气候条件因素。

9.4.4 吸附干燥装置的处理气压力露点通常为-40℃～-20℃,冷冻干燥装置的处理气压力露点通常为 2℃～10℃,故采暖地区应选用吸附干燥装置,非采暖地区可选用冷冻干燥装置。

10 电 气

10.1 负荷分级及供配电系统

10.1.1 厂区用电负荷分级主要是从安全和经济损失两个方面确定,安全包括人身安全和生产过程及装备的安全。条文中是按事故停电的损失确定负荷的特性,而事故停电造成经济损失的评价主要取决于用户自身所能接受的程度。

10.1.2 实际运行经验表明,电气故障是无法限制在某个范围内部,电力部门也不能保证供电不中断。平板玻璃工厂是连续用电单位,长时间的停电将造成重大损失。因此,供电电源应来自两个不同的区域变电站。在确定供电电源时,应综合分析当地的电网状况和供电质量,经技术经济比较后,确定在厂内是否设自备发电站作为应急保安电源,保安电源容量应能保证熔窑和锡槽的安全。

10.1.3 本条对工厂供电电源的总供电量作了规定,总供电量包括玻璃生产及辅助设施和深加工系统等所有一级、二级、三级负荷用电。其中任何一路电源的供电能力都应大于全厂一级和二级负荷的生产用电要求。

10.1.4 平板玻璃工厂负荷较大又较集中,考虑到将来的扩建及发展,可优先采用 35kV 供电。35kV 以上电压通常受到投资费用、环境条件、线路走廊的影响难以实现,可根据实际情况酌情选用。

10.1.6 本条是供配电系统设计的基本要求,目的是提高供电可靠性和灵活性。

10.1.8 工厂电源进线的功率因数宜为 0.95。在低压侧进行无功功率补偿可降低损耗,节约投资。

10.2 变(配)电所

10.2.1 本条中有配电设备而无主变压器的站房为总配电所,有主变压器同时有配电设备的站房为总变电所。车间变电所一般有变压器和配电设备。总变(配)电所设计应满足供电部门对继电保护、计量和通信的要求。

10.2.4 变电所设置点宜在锡槽、退火窑、空压站、水泵房附近,或设置在深加工车间和其他用电负荷集中的地方。

10.3 车间电力设备和电气配线

10.3.2 由于现行国家标准《爆炸危险环境电力装置设计规范》GB 50058 中对有关场所的划分、设备布置及选型、电气装置的设计等均作了明确规定,因此,设计时应按照该规范的要求执行。

10.3.6 当不符合全压启动的条件时,应优先采用降压启动方式(包括切换绕组接线、串接阻抗、自耦变压器启动等)。除降压启动外,还可采用其他适当的启动方式,如某些有调速要求的电动机可利用调速装置来启动,绕线转子电动机可采用频敏变阻器或电阻器启动。

10.5 电力线路敷设

10.5.1 电缆沟内敷设和沿绿化带直埋地敷设方式一般较易实施,具有节约投资费用的显著优点,故本条推荐采用。

11 生产过程检测和控制

11.1 生产过程自动化

11.1.1 先进的自动化技术包括采用计算机控制系统、智能仪表系统、智能检测仪表和执行机构、智能调节阀门等硬件装备以及各类高级控制软件、高级控制方案。

11.1.2、11.1.3 目前对热工测控点集中的区域以及数据量较大的配套设备,宜采用计算机现场总线控制系统 FCS（Fieldbus Control System）智能仪表,并以总线通信方式接入集散型计算机控制系统。

11.1.4 应用低压配电智能化技术,并通过标准开放网络与计算机系统通信,实现中控室实时监控低压配电设备的运行,通过优化算法、协调控制及安全预控等各类综合措施,达到安全绿色、节能环保运行的目的。

11.1.6 平板玻璃工厂宜设置生产管理信息系统（简称 MIS）,其目的是通过管控一体化技术把智能化的信息管理系统与高效优化的自动化控制系统紧密结合起来,提高工厂生产管理和运行水平,提高整体效率。

11.1.7 计算机控制系统的接地还应针对各计算机供货厂家系统的具体要求设计。

11.2 配料称量系统的检测和控制

11.2.1 配料称量系统的控制系统应具备手动、自动及遥控等功能。

11.2.2 对于水分高的原料设置水分自动检测补偿装置是为了保证原料的干基量。

11.2.4 设置工业电视监视系统,是为了保证安全生产和改善操作工人的工作环境。

11.3 熔化系统的检测和控制

11.3.1 本条是对熔窑温度、压力及玻璃液面的检测和控制要求。

1 重要检测点(如熔窑碹顶热点、池底料堆)温度记录包括采用记录仪或计算机控制系统的历史数据记录。

3 窑压的变化会对熔化生产带来一定的影响,并影响到液面的稳定,故熔化部窑压应设自动控制。

4 本款规定是为了了解烟道及烟囱根抽力情况。

5 本款规定是为了向锡槽稳定供料。

11.3.2 本条是对燃烧系统的检测和控制要求。

2 本款规定了熔窑燃烧系统的主要控制内容。

3 本款规定是为稳定和调节熔化燃料量设置的。

4 本款规定是为保证雾化效果从而保证燃料燃烧效果设置的。

6 本款规定为保证燃料的充分燃烧及油风配比控制提供了手段。

7 本款规定是为检测燃料是否充分燃烧设置的。

11.3.3 燃烧换向过程是熔化过程最大的干扰源,应控制调节。

11.3.4 为了更清楚地观察到窑内实际工况,可采用彩色监视器。

11.3.5 熔窑的冷却风机、助燃风机等重要机电设备的运行情况及供水系统应全程监控。

11.3.6 本条规定是为防止料仓空仓或满仓。

11.6 冷端系统的控制

11.6.1～11.6.5 这5条规定给出了冷端系统的主要控制内容。由于冷端系统多由各种单机设备组成,其控制装备也往往由单机设备配套。为提高冷端设备的自动化和智能化水平,通过先进技术的应用:(1)利用先进自动化技术实现全面的智能感知(如堆取料设备定位、物料的轮廓、保护开关动作的位置等);(2)通过对设备运行数据的智能分析;(3)通过对流程的优化、协调控制和智能化控制,不仅实现设备的高效运行,同时减少现场作业人数,向现场无人化方向发展,提升竞争力。

11.7 辅助生产系统的检测和控制

11.7.1 辅助生产系统包括所有除原料车间、联合车间的系统。

11.7.2 控制内容较多的辅助生产系统(如水泵房、锅炉房、氢气站、氮气站等)宜采用计算机控制系统。增加通信接口是通过加强统一管理,便于以后通过先进技术的应用提高工厂的柔性化组织生产,减少现场作业人数,提升竞争力。

11.7.3 本条规定是为了方便全厂的控制设备维护和互换。

11.8 仪表用电源和气源

11.8.1 本条对仪表用电源作了规定。

  1 本款对仪表用电源的选择作了规定。

  2 计算机系统的中央控制室操作站、现场操作站等需要不间断供电电源的供电延续时间均应为 30min 以上。

  3 仪表用电源基本为弱电,错接相位会损坏仪表。

12　给水与排水

12.1　一般规定

12.1.3　本条是对厂区排水设计的规定。考虑到各地经济发展状况不同,市政排水体制(分流制或合流制)或排放的水域有不同的要求,应选择符合当地市政管理部门要求的厂区合理排水体制。

12.2　给　　水

12.2.1　本条对生产给水提出了相关要求。

　　1　根据玻璃生产工艺要求,生产给水应保证供水不得间断,如水源不能保证连续不间断供给,应在厂内设置储水设施,以确保平板玻璃工厂供水的安全可靠性。

　　2　生产给水的水质主要指标是根据现行国家标准《工业循环冷却水处理设计规范》GB 50050 的有关规定,并结合工程实际运行情况确定的。

　　3　生产设备要求对循环冷却水进行软化或除盐、除氧以满足生产设备的正常使用。

　　4　因玻璃工艺生产的设备用水量较大,而且是无污染的设备冷却水,所以应循环利用。

　　5　考虑平板玻璃工厂内用水点的标高,所以厂区进口处水压一般不宜小于 0.25MPa。

12.2.2　生活给水管道不得与用户自备的生产用水水源的供水管道直接连接,防止造成生活给水管道内回流污染生活用水。当用户需要将生活给水作为生产用水自备水源或补充水时,可将生活给水管道放入生产自备水源的储水(或调节)池,进水口与水池溢流水位之间应有有效的空气隔断。

本条规定与生产用水的水质是否符合或优于生活给水水质无关。

12.2.4 本条对循环水系统的设计提出了相关规定。

1 循环水冷却设施的类型选择应因地制宜进行技术经济比较选择敞开式系统或封闭式系统。按节能要求宜选择闭式循环水系统。

3 依据生产工艺对循环水不间断供给的要求,应保证循环补充水的供给,采用多水源或储存水。

6 循环水系统的补充水量是根据现行国家标准《工业循环冷却水处理设计规范》GB 50050 的有关规定确定的。

7 循环水系统的水质应进行水质稳定的验算,以防循环水系统管道及设备结垢、腐蚀,缩短供水管道、工艺设备的使用年限。

8 循环水系统在循环过程中由于受到污染,应对系统设置全过滤水处理或分流旁滤水处理。

9 循环水池和水塔的总容量是依据运行经验确定的。

10 循环水塔的水柜容量是依据循环水供给系统故障时工艺设备冷却保护时间确定的。

11 循环水泵当一台工作时,应有一台相同规格型号的备用泵;当两台及两台以上同时工作时,其备用泵的容量不应小于最大一台泵的容量。为了确保工艺生产设备的安全运行,还宜设有柴油机拖动水泵,以确保动力故障时循环供水。

12 循环水泵房靠近浮法联合车间布置是为了缩短供水管路,提高供水安全性。

14 循环给水设专用管道直通用水车间,循环供水管道不得作为消防或其他直接排放的生产设施用水。

12.3 排 水

12.3.1 排水体制及排出口的选择主要考虑经济合理减少工程造价。

12.3.2 本条根据现行国家标准《建筑给水排水设计规范》GB 50015的有关规定制订。

12.3.4 本条根据现行国家标准《建筑设计防火规范》GB 50016的有关规定制订。

12.3.5 本条为强制性条文。根据现行国家标准《污水综合排放标准》GB 8978 的二类污染物最大排放浓度 1mg/L（苯酚）的要求，高度含酚废水不得向外排放。玻璃厂发生炉煤气站的循环含酚废水浓度较高，对外排放会造成人身伤害及环境重度污染。

13 余热利用

13.2 生活、生产类余热设备

13.2.1 熔窑烟气系统的烟气过量空气系数的选取与燃料种类和烟道漏风情况密切相关。

13.2.3 本条对余热锅炉与引风机的工艺设备布置作了规定。

1 引风机属于振动性设备,尤其在叶轮局部沾上灰尘时,其动平衡会遭到破坏,振动更大,并对楼面产生额外负载,因此宜放在一层。

3 本款规定是为了减少烟道系统的热损失而制订的。

14 采暖、通风、除尘、空气调节

14.1 一 般 规 定

14.1.4 设置本条的目的是为了控制粉尘排放浓度,实现清洁生产。

14.2 采 暖

14.2.1 冬季室内计算温度可参照现行国家标准《工业建筑供暖通风与空气调节设计规范》GB 50019 和《工业企业设计卫生标准》GBZ 1 的有关规定,结合平板玻璃工厂的劳动强度与每名工人占地面积情况制订,高温车间的冬季采暖可不作规定或降低采暖标准。

14.2.2 本条是对采暖热媒的要求。

1 平板玻璃工厂一般均设有余热锅炉房,可以作为冬季采暖所需热源。热水采暖的室内环境舒适度较好,应推荐使用。

2 辅助建筑多为人员长时间工作生活的场所,宜设热水采暖。

4 电能是高品位能源,一般不宜直接用于大面积采暖。

14.2.3 本条规定是对采暖方式提出的要求。

2 在非采暖地区的平板玻璃工厂,如采板区设在非采暖的成品库中,根据需要可设局部采暖。

3 对环境温度有要求的场所是指切裁成品工段等生产工艺对环境温度有要求的场所及经常有人员操作的场所。

4 从有易燃易爆物质场所的安全角度考虑作此规定。煤气红外线辐射采暖通常有炽热的表面,电热采暖也因为设备的安全性、可靠性存在不足。

14.4 除 尘

14.4.5 纯碱、芒硝系统及熔化工段投料平台等生产场所不得用水冲洗,可采用移动式真空吸尘装置及时清扫地面、设备表面粉尘。

14.4.7 本条为强制性条文。现行国家标准《工业建筑供暖通风与空气调节设计规范》GB 50019 中有关净化有爆炸危险的粉尘都有专门的条文论述,所有相关条文必须严格执行。在本行业中涉及有爆炸危险的粉尘是煤粉尘,在煤气发生站上煤系统煤粉的筛分、转运过程中产生粉尘,其除尘系统收集的超细煤粉尘具有爆炸危险,在此特别说明是从保证安全的角度加以重视。

14.4.9 除尘系统先于工艺设备启动可以造成良好的负压环境以控制粉尘外逸。生产线启动时应先启动除尘系统,停机时应延时关闭除尘系统。

14.4.10 本条对除尘系统的选择提出了相关要求。

1 同一生产流程中扬尘点相距不远时,如果采用分散式机械除尘系统则单个的小除尘器太多。

2 平板玻璃工厂粉尘种类较多,宜回收利用,故宜分别设置机械除尘系统。在工艺生产允许情况下,可将含尘空气处理后的粉尘回收到除尘系统所服务的工艺系统中循环利用。

3 当粉尘浓度较高时,宜选用旋风除尘器为一级除尘,袋式除尘器为二级除尘。

14.4.11 本条对除尘管道设计作出了规定。

1、2 这两款规定是为了防止粉尘堵塞除尘管道而制订的。

4 除尘系统的排风管应尽量高,降低排风管出口高度则排放标准就要提高。

14.5 空 气 调 节

14.5.4 当条件限制浮法联合车间控制室无法设置空调室外机时,也可采用集中式空调系统。经技术经济比较合理时,也可采用变制冷剂流量分体式空调系统。

15 建筑与结构

15.1 一般规定

15.1.3 平板玻璃工厂中的各类建筑结构中,有关生产类别、耐火极限、防火分区及疏散要求在现行国家标准《建筑设计防火规范》GB 50016 及其他相关的国家和行业规范中都能查到规定的条文。

15.1.4 本条是根据现行国家标准《建筑结构可靠度设计统一标准》GB 50068 的要求,对平板玻璃工厂各建(构)筑物安全等级的具体划分。

15.1.5 本条是根据现行国家标准《建筑工程抗震设防分类标准》GB 50223 的要求,对平板玻璃工厂各建(构)筑物抗震设防分类的具体划分,对适度设防类建筑,其设防标准可稍低于主要生产车间。

15.1.6 对加固改造工程做到新老结构相结合,目的是保证建筑结构在拆除、加固以及后期使用中的安全,同时也要便于施工。

15.3 辅助车间

15.3.1 天然气站属于有可能出现泄漏散发爆炸气体的场所,应设置防爆泄压设施,这些设施是指轻质屋面板、轻质墙体和易于泄压的门窗等。

15.5 特殊地基及防排水处理

15.5.1 对于湿陷性黄土地基、膨胀土地基、多年冻土地基等应按国家现行标准《湿陷性黄土地区建筑规范》GB 50025、《膨胀土地区建筑技术规范》GB 50112 和《冻土地区建筑地基基础设计规范》JGJ 118 的规定进行设计。对于振动荷载作用下的地基设计,应按现行国家标准《动力机器基础设计规范》GB 50040 的规定进行设计。

16 其他生产设施

16.1 中心实验室

16.1.1～16.1.3 为控制生产用原料、燃料、配合料以及玻璃成品的质量,应设置中心实验室。

17 环 境 保 护

17.1 一 般 规 定

17.1.1 根据修订后的《中华人民共和国环境保护法》第四十四条、《建设项目环境保护管理条例》第三条、《建设项目环境保护设计规定》第二十五条的有关规定,建设项目产生的各种污染物治理后必须达到国家和地方规定的排放标准。国家实行重点污染物排放总量控制制度,重点污染物排放总量控制指标由国务院下达,省、自治区、直辖市人民政府分解落实。企业事业单位在执行国家和地方污染物排放标准的同时,应当遵守分解落实到本单位的重点污染物排放总量控制指标。

本条是环境保护的一般规定,所述的各类污染物指的就是后面几个小节所说的大气污染物、水污染物、噪声污染及固体废弃物。

排放标准、环境容量和排放总量是三个概念。排放标准主要是污染物浓度排放的标准,环境容量是指建设厂址周围环境能容纳污染物的量,排放总量是国家下达给各省、市的总量。这三项对项目建设均起到制约作用,三个条件均满足,该项目才能建设。

17.1.2 修订后的《中华人民共和国环境保护法》第四十一条已经明确规定,建设项目中防治污染的设施,应当与主体工程同时设计、同时施工、同时投产使用,目的就是为了在企业开始生产的同时就杜绝各种污染物的排放。

17.1.3 环境影响评价文件及其审批意见所规定的各项环境保护措施的落实是保证污染物达标排放的关键,也是建设项目竣工环境保护验收的内容。

17.2 大气污染防治

17.2.1 利用大气扩散和稀释能力是目前废气排放的措施之一。平板玻璃工厂应位于城镇污染系数最小方位的上风侧,以防止或减少粉尘及有害物质对城镇和居民区的不利影响。

17.2.2 现行行业标准《环境影响评价技术导则 大气环境》HJ 2.2中提出了大气环境防护距离的概念,厂址选择时应考虑大气环境防护距离。

17.2.3 本条对熔窑烟囱废气的排放提出了要求。

1 平板玻璃工厂的环境影响评价工作重点是大气,所以大气环境质量影响评价,它为大气污染防治措施设计提供科学依据。防治措施应符合环境影响评价结论和要求。

2 玻璃行业的二氧化硫主要来源于燃料和原料中芒硝的分解。目前玻璃工厂主要燃料为重油、天然气和煤气,原料芒硝的用量在玻璃行业清洁生产标准中也有明确规定。

3 目前烟囱废气中的氮氧化物主要来源与燃烧方式有关。对于氮氧化物的控制宜首先通过全氧燃烧技术、分层燃烧技术、采用低的空气过剩系数以及选用低氮喷枪等措施减少废气中氮氧化物的产生,其次末端处理宜选用 SCR 法进行脱硝。

4 颗粒物、氯化氢(HCl)、氟化氢(HF)的排放在现行国家标准《平板玻璃工业大气污染物排放标准》GB 26453 中有明确要求。

17.3 废水污染防治

17.3.2 玻璃工厂的污水排放水质应符合现行国家标准,如果当地有更严格的地方标准则应予执行。

排污口的位置应符合《中华人民共和国水法》第三十四条的规定。

17.3.3 湿法脱硫产生酸性废水,中和、曝气、絮凝、沉淀工艺是比较成熟的处理工艺。

17.5 固体废弃物污染防治

17.5.1 对有利用价值的固体废弃物应回收利用,对无利用价值的可采取无害化处理措施。

17.6 环 境 监 测

17.6.1 平板玻璃工厂可以单独设监测站,仪器设置仅需按常规配备。测烟囱废气中的颗粒物、HCl、HF 等污染因子时应增加仪器。

17.6.2 本条系根据现行国家标准《污水综合排放标准》GB 8978 的第 5.1 条"在污水排放口必须设置排放口标志、污水水量计量装置和污水比例采样装置"和现行国家标准《平板玻璃工业大气污染物排放标准》GB 26453 的第 5.1 条"对企业排放废气的采样应根据监测污染物的种类,在规定的污染物排放监控位置进行,有废气处理设施的,应在该设施后监控"制订的。各排污口应按照《排污口规范化整治技术要求》(环监[1996]470 号)的规定进行规范化设计。

18 节　　能

18.1　一般规定

18.1.1　工艺设备、水泵、空压机、制氮制氢及电气等设备应选用国家推荐的节能型产品,严禁选用淘汰产品。

18.3　电气及自动控制节能

18.3.1　我国工业企业中变化负荷运行的风机、泵类增加变频调速装置后,平均节电 30% 左右。节约的电费可使增加的投资在 2 年~3 年内收回。

18.3.5　谐波使得用电设备损耗增加、寿命降低,严重时影响用电设备正常运行。谐波治理的原则是在源头尽量减少谐波的产生,分散抑制谐波的影响。

18.6　能源计量器具

18.6.1　本条对能源计量的范围作出了规定。

　　1　能源计量装置应满足全厂和各个系统单独计量考核的要求,并应具备自动记录和集中、统计功能。

19 职业健康安全

19.1 一般规定

19.1.2 采用机械化生产可有效降低工人的劳动强度,减少伤亡事故的发生。采用自动化生产是通过电子计算机、机器人或控制器来控制各道生产工序机械设备自动进行生产的,由于操作者和生产设备在空间上得以分开,不仅消除了对健康的直接危害,有利于防止职业病的发生,而且使人身伤亡事故的危险也大大地减少了。所以自动化程度的提高可使工作环境明显改善,对安全生产起到了重要保证作用。

19.2 防火、防爆

19.2.4 本条系根据现行国家标准《城镇燃气设计规范》GB 50028制订的。

19.2.6 燃料油、可燃气体均为易燃易爆品,在储存和输送过程中为防止静电火花引起爆炸,应保证接地良好。

19.2.9 有爆炸危险性气体的场所主要指可能散发可燃气体的天然气站和天然气或焦炉煤气配气室、液化石油气站、氢气站、氮氢保护气体配气室、锅炉房等。

19.3 防电、防雷

19.3.4 剩余电流动作保护器可以在设备及线路发生接地故障时通过保护装置的检测机构取得异常信号,经中间机构转换和传递,然后促使执行机构动作,自动切断电源,起到安全保护作用。

19.3.6 本条规定是为了防止发生触电等意外事故。

19.3.8 建筑物内各种等电位联结是保障人身安全的基本而重要

的措施。同一接地网可避免各种原因造成的系统反击电压,保护人身及设备安全。

19.7　噪 声 控 制

19.7.1~19.7.6　这 7 条规定系根据现行国家标准《工业企业噪声控制设计规范》GB/T 50087 制订的。

统一书号：1580242·993

定　　价：30.00 元

UDC

中华人民共和国国家标准

P

GB 50435－2016

平板玻璃工厂设计规范

Code for design of flat glass plant

2016－08－18 发布　　　　2017－04－01 实施

中华人民共和国住房和城乡建设部
中华人民共和国国家质量监督检验检疫总局　联合发布